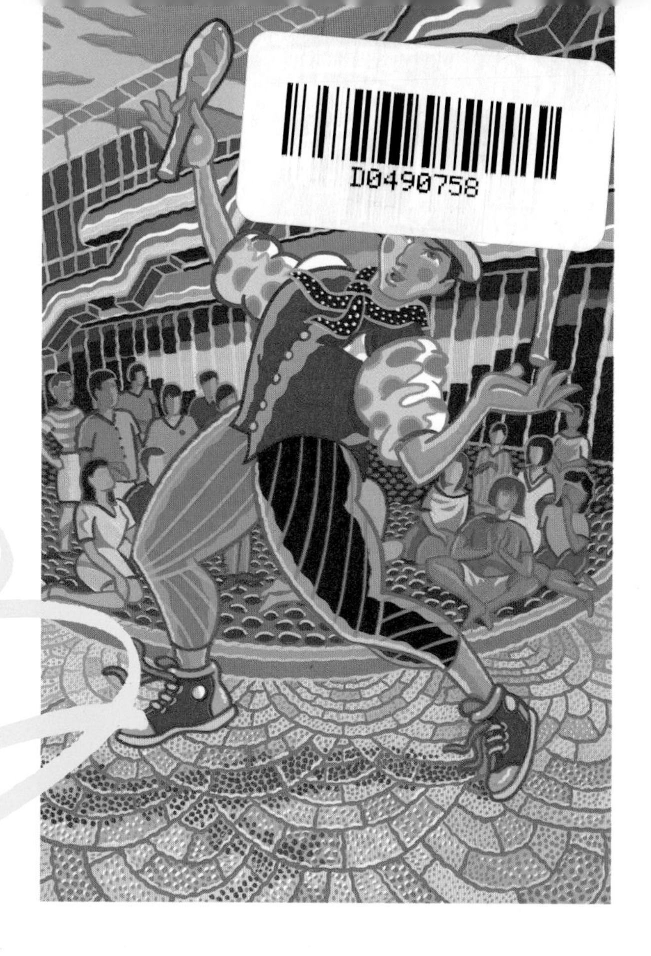

SPIRALE 1

LIVRE DE L'ÉLÈVE

JACQUELINE JENKINS avec BARRY JONES

avec l'assistance de Helen Cross

coordination Barry Jones

Hodder & Stoughton
LONDON SYDNEY AUCKLAND TORONTO

Acknowledgments

Jacqueline Jenkins would like to thank Nicole Elbez and Michèle Sébaoun for their valuable help in collecting materials. She would also like to thank her husband David for providing revitalising cups of tea at crucial times . . . Barry Jones would like to thank his wife, Gwenneth, and his children, Daniel and Matthew, for the games they have suggested. Thanks also to Annie Rowling and Matthew Portal for their involvement in the early planning stages of this project. The authors would also like to thank Oliver Gadsby, Charlotte Steedman, Shirley Baldwin and all their team for their help and support.

The authors and publishers would like to thank the following for their assistance during the writing and production of *Spirale 1*: Simon Davis, Chris Gilbert, Amanda Johnson, Pete Jones, Nigel Simpson, Françoise Vidal.

Special thanks are due to M. Bequet, Proviseur du Collège mixte nationalisé in Cabourg for granting us repeated access to his school and to all members of his teaching staff who have goodnaturedly allowed us to extract pupils from their lessons at a moment's notice. A big thank you, too, to all the pupils in 3[e]B and 4[e]B who took part in the recordings.

The authors and publishers are particularly grateful to Sealink Stena Line for its co-operation and financial assistance with the frequent ferry crossings made by authors, photographers, editors and sound recordists to France.

The publishers would like to thank the following for permission to reproduce material in this volume: Burger King (UK) Ltd for pictures of burgers; Expressions for two greetings cards; Safari de Peaugres for the map of the Safari Park.

The publishers would also like to thank the following for use of their material: Allo Pizza for their pizza advert; Archer Art for the Boy's untidy bedroom picture on p. 165; *Astrapi* for the extracts from *Astrapi* on pp. 48, 49, 74, 78, 81, 84, 99, 117, 119, 172, 175, 193; BLABLA for four postcards; Buromac-Brugge for the Birth announcement card and envelope; Crédit Lyonnais for the mockup of their advertisement '*Le Crédit Lyonnais remercie ses Clients . . .*'; DURO for *La Journée du Goût* sticker; ESP for their birthday invitation; France Quick for the menu examples; Freetime for their order form and advertisement; *Hercule* for the article from *Hercule* no. 27 on p. 141; Horn for their birthday card; Jeu Scoony for their competition poster *Découvrir les animaux du Kenya*; Jeux Nathan for the pictures of French playing cards; Kartos for their birthday invitation; Le Welcom Café for their advertisement; McDonald's for their advertisement material; Midicap for their postcard; *Podium* for the magazine coupon for readers' letters from *Podium* no. 214; *Postes et Télécommunications* for their logo; Rhodania for their birthday card; Rust Craft Greeting Cards (UK) Ltd for the postcard of birth announcement; *Salut* for the article and photograph of André Agassi on p. 58; Sky TV plc for the Simpsons cutting from *Sky TV Magazine*; Société Nationale des Chemins de Fer Français for their logo; SPABO for their birthday card; *Star Club* for the cartoon strip of the bear at the zoo from *Star Club* November '90; Unico for the picture of stationery items on p. 174.

Every effort has been made to trace and acknowledge ownership of copyright. The publishers will be glad to make suitable arrangements with any copyright holders whom it has not been possible to contact.

The authors and publishers are grateful to the following for permission to reproduce photographs: Chris Gilbert pp. 9 (nos. 1, 4), 12 (right), 13 (centre), 17 (top right, bottom centre right), 42, 44 (bottom), 53 (bottom), 54 (nos. 1, 2, 3, 5), 57 (centre, top right), 64 (bottom, bottom right), 97, 98 (nos. 1, 2, 3), 102 (nos. 5, 7), 105 (nos. 4, c, d,), 109 (top left, centre right), 122 (nos. 1, 2, 5, 8, 10), 125, 127 (top left, centre, bottom right), 158, 182 (top right, bottom centre and right), 183, 185 (top left, right), 188 (bottom right), 189 (top left, top right, bottom right), 198; Calais Chamber of Commerce pp. 9 (no. 2), 131 (bottom right), 150 (bottom right), 151 (top and bottom); J. Allan Cash pp. 9 (no. 5), 18 (centre right), 44 (top centre and right), 73, 96 (bottom left), 149 (nos. 3, 5, 6); S. Baldwin pp. 9 (nos. 3, 6), 12 (left centre), 16 (right), 17 (top centre, bottom right), 20 (centre right), 45 (bottom), 57 (top and bottom), 65, 102 (nos. 2, 3, 6, 8), 105 (nos. 1, 3, b, e, f), 106 (top right, nos. 3, 5, 6, 7,), 149 (no. 2), 150 (top), 157 (centre), 182 (top left), 189 (left centre, right centre, bottom left); Thomson's Citybreaks pp. 17 (top left), 18 (bottom left), 20 (top left); J. Lowe pp. 17 (bottom left), 20 (bottom left), 76 (top left); House of Commons p. 18 (top left); Cephas pp. 18 (top right), 44 (top left), 96 (top left), 102 (no. 4), 122 (no. 4); Canada House p. 18 (bottom right); Robert Harding p. 19; Topham Picture Source pp. 20 (top right, centre left, bottom left) 26, 27; Antenne 2 p. 36; Grundy Television p. 60; BBC p. 61; Nigel Simpson pp. 64 (top right), 98 (nos. 1, 5, 6), 116, 121, 127 (top right, centre right), 151 (top centre, bottom centre), 154, 185 (bottom left); Bruce Coleman p. 76 (top centre, centre right); INTO p. 96 (top right); Australian Tourist Commission p. 96 (centre right); Israel Government Tourist Office p. 96 (bottom right); McDonald's pp. 106 (no. 1), 123 (no. 9); Eastbourne Tourism and Leisure p. 106 (no. 2); La Prévention Routière p. 115; French Railways p. 122 (no. 3); Chambre de Commerce de Boulogne p. 123 (no. 7); USTTA p. 151 (no. 4); FGTO p. 150 (bottom left). All other photographs supplied courtesy of the authors.

Cover illustration: Tim Kahane.
Late copyright acknowledgement: Abeille Cartes-Editions 'Lyna-Paris' for the 'Baisers de Paris' post-card, p.43, Dargaud Editeur, Goscinny and Uderzo for the Astérix illustration, p.27.

British Library Cataloguing in Publication Data
Jenkins, Jacqueline
Spirale: livre de l'élève 1. – (Spirale)
I. Title II. Jones, Barry III. Series
448

ISBN 0-340-54232-2

First published 1991

Typeset by Wearside Tradespools, Fulwell, Sunderland.
Printed in Hong Kong for the educational publishing division of Hodder & Stoughton Ltd, Mill Road, Dunton Green, Sevenoaks, Kent by Colorcraft Ltd.

Contents

Ma bouée de sauvetage

À tour de rôle *Take it in turns*
À vous maintenant! *Over to you!*
Apprenez *Learn*
Apprenez par cœur *Learn by heart*

Cherchez les mots que vous connaissez *Look for the words you know*
Choisissez *Choose*
Choisissez une activité *Choose an activity*
Cochez la case *Tick the square*
Cochez votre grille *Tick your grid*
Collez une photo *Stick a photo*
Collez votre sondage dans votre cahier *Stick your survey in your book*
Combien de points avez-vous marqués? *How many points did you score?*
Cachez *Hide*
Consultez votre Aide-Mémoire *Consult your 'Aide-Mémoire'*
Connaissez-vous . . . ? *Do you know . . . ?*
Copiez cette grille dans votre cahier *Copy this grid into your book*

Décidez *Decide*
Demandez *Ask*
Dessinez *Draw*
Devinez *Guess*
Dites *Say*

Échangez *Exchange*
Écoutez *Listen*
Écoutez encore une fois *Listen again*
Écoutez et écrivez *Listen and write*
Écoutez et lisez *Listen and read*
Écoutez et parlez *Listen and speak*
Écoutez et regardez *Listen and look*
Écoutez et répétez *Listen and repeat*
Écoutez la cassette *Listen to the tape*
Écoutez les conseils *Listen to the advice*
Écrivez *Write*
Écrivez dans la bonne case *Write in the right square*
Écrivez la liste dans votre cahier *Write the list in your book*
Écrivez les phrases *Write the sentences*
Écrivez les noms *Write the names*
Enregistrez-vous *Record yourself*
Envoyez *Send*
Essayez *Try*

Faites ce puzzle *Do this puzzle*
Faites correspondre *Match up*
Faites la liste *Make a list*
Faites votre sondage *Do your survey*

Illustrez votre annonce *Illustrate your advertisement*
Imitez *Imitate*
Indiquez sur la carte *Indicate on the map*
Inventez *Invent*

Jouez *Play*

Lisez *Read*
Lisez et écoutez *Read and listen*
Lisez et écrivez *Read and write*
Lisez et parlez *Read and speak*
Lisez et répondez *Read and answer*

Maintenant *Now*
Mettez *Put*

N'écrivez pas sur cette page *Do not write on this page*
Nommez *Name*
Notez votre score *Note down your score*
N'oubliez pas de consulter votre Aide- Mémoire *Do not forget to consult your 'Aide- Mémoire'*

Oui ou Non? *Yes or No?*

Parlez *Speak*
Parlez avec votre camarade *Speak to your friend*
Posez des questions *Ask questions*
Pour vous aider *To help you*
Prenez la place de *Take the place of*

Que dites-vous? *What do you say?*
Que disent-ils? *What do they say?*
Qui est-ce? *Who is it?*
Qui dit quoi? *Who is saying what?*
Qui parle à chaque fois? *Who is speaking each time?*

Regardez *Look*
Regardez la carte *Look at the map*
Regardez l'exemple *Look at the example*
Regardez le modèle *Look at the example*
Regardez le transfert *Look at the photocopy master*
Regardez les bulles *Look at the balloons*
Regardez les dessins *Look at the drawings*
Regardez les images et parlez *Look at the pictures and speak*
Regardez les images et écrivez *Look at the pictures and write*
Regardez l'image *Look at the picture*
Remplacez *Replace*
Remplissez la grille *Fill in the grid*
Remplissez les fiches *Fill in the forms*
Remplissez les trous *Fill in the blanks*
Répétez *Repeat*
Répondez aux questions en anglais/en français *Answer the questions in English/in French*
Révisez *Revise*

Sondage *Survey*
Suivez *Follow*

Travaillez avec votre partenaire *Work with your partner*
Trouvez *Find*
Trouvez la bonne réponse *Find the right answer*
Trouvez les erreurs *Find the mistakes*

Vrai ou Faux? *True or False?*

MODULE 1

Salutations

Objectif *How to greet someone*

 A

★ Écoutez la cassette.
On se salue.
★ Que disent-ils?

1

2

3

4

5

6

7

8

B

★ À vous maintenant!
Écoutez les salutations.
★ Cochez votre grille.

	Bonsoir!	Ça va?	Salut!	Bonjour!	Bonne nuit!	Au revoir!
1						
2						
3						
4						

N'écrivez pas sur cette page

C

★ Parlez.
Choisissez un(e) partenaire.
Qu'allez-vous dire?

D

★ Regardez les dessins et choisissez la bonne salutation.

Comme ci, comme ça.

Ça va?

Pas très bien.

Au revoir.

Pas très bien.

Salut!

Bonne nuit!

Je suis fatigué.

Bonjour!

Bien merci et toi?

Bonsoir!

*info*CULTURE

Écoutez!

Sometimes you have to be careful which greeting you use. If you want to be polite, you say:

Bonjour, madame! *Bonjour, monsieur!*

If you are talking to more than one person, you say:

Bonjour, mesdames! *Bonjour, messieurs!*

But if you're talking to friends, it's nice to say: *Salut!*

E

À vous maintenant! ★ À tour de rôle.
Comment saluez-vous ces personnes?
Exemple: 1. Bonjour, madame!

1.

3.

2.

4.

5.

6.

F Mots croisés

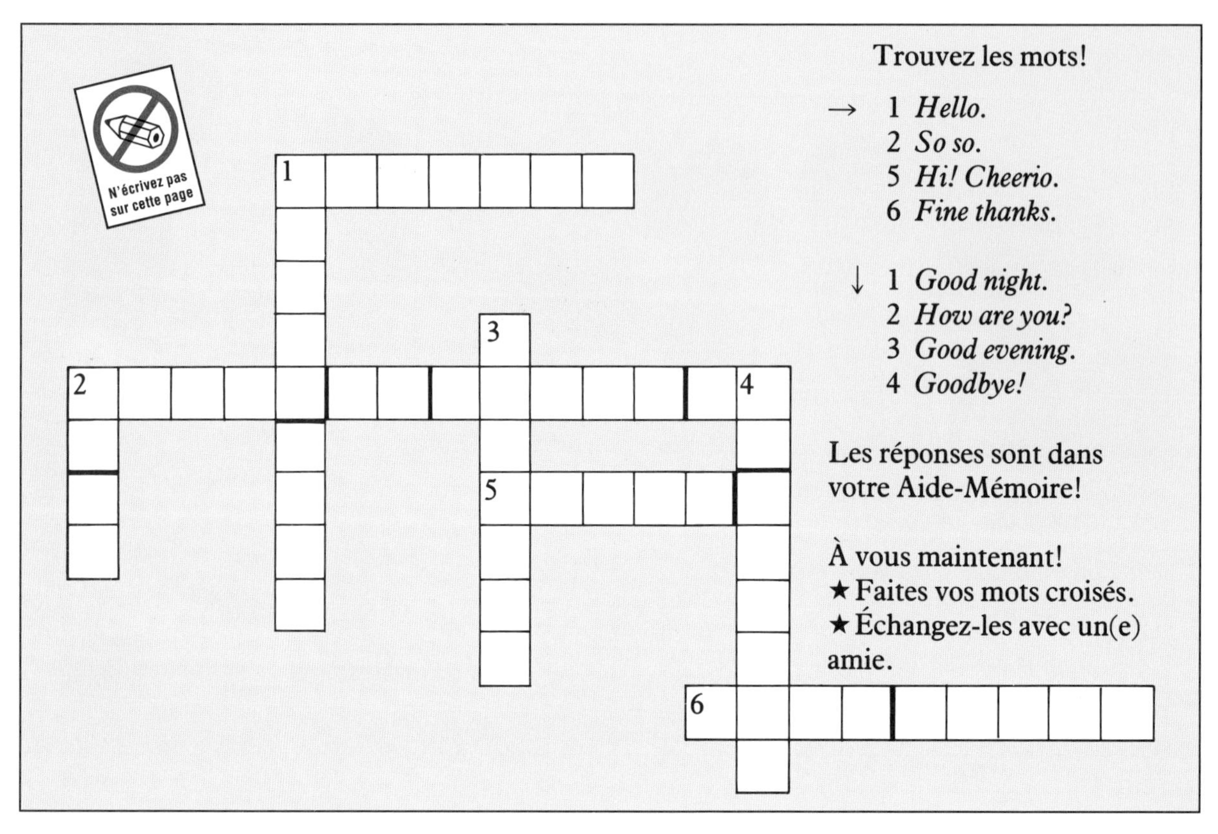

Trouvez les mots!

→ 1 *Hello.*
2 *So so.*
5 *Hi! Cheerio.*
6 *Fine thanks.*

↓ 1 *Good night.*
2 *How are you?*
3 *Good evening.*
4 *Goodbye!*

Les réponses sont dans votre Aide-Mémoire!

À vous maintenant!
★ Faites vos mots croisés.
★ Échangez-les avec un(e) amie.

G La planète XQZ

Parlez.
Vous arrivez sur terre pour la première fois. ★ Que dites-vous?

H

Lisez.
★ Trouvez les salutations!

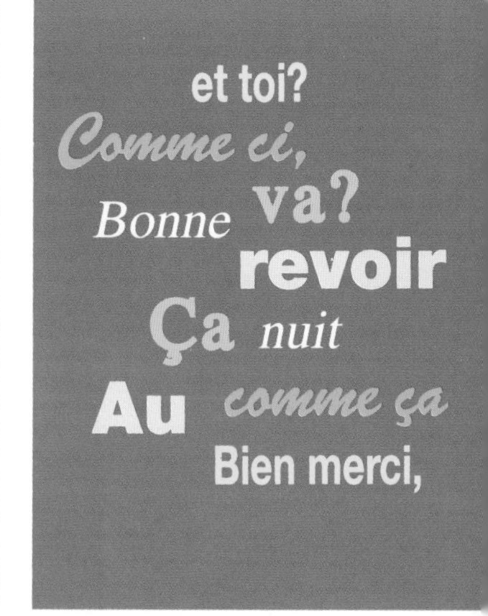

I ★ Concours

N'oubliez pas de consulter votre Aide-Mémoire

À vous maintenant! Une page de salutations . . .

Using old magazines and comics, cut out pictures to create your own pattern of greetings. Try to make yours the most amusing in the class.

J Puzzle: Vous avez le bonjour de la planète XQZ!

Trouvez les salutations.

1	Q	X	B	Z	O	X	Q	N	J	Z	O	X	U	Z	Q	R	X	X
2	Z	Q	C	Q	A	Z	X	X	V	Q	Z	A	X	Z	Q	Z	X	Q
3	X	Z	B	Q	O	N	Z	X	S	Z	O	Q	I	X	X	R	Z	X
4	Q	S	X	A	X	Z	L	Q	U	X	Z	T	Q	Z	X	X	Z	Z
5	Z	A	X	U	R	Z	E	X	Q	V	O	Z	X	I	X	Z	R	X
6	X	B	Q	O	N	X	N	Q	Z	E	X	N	U	Z	I	Q	X	T

Aide-Mémoire

Bonjour *Hello*
Ça va? *How are you?*
Bien merci *Fine thanks*
Comme ci, comme ça *So so*
Pas très bien *Not so good*
Salut! *Hi! . . . Cheerio*

Bonsoir *Good evening*
Bonne nuit *Good night*
Au revoir *Goodbye*

Écoutez la cassette *Listen to the cassette*
Que disent-ils? *What are they saying?*
À vous maintenant! *Over to you!*
Cochez votre grille *Tick your grid*
Parlez *Speak*
Choisissez . . . *Choose . . .*
Regardez *Look*
Regardez les dessins *Look at the drawings*
À tour de rôle *Take it in turns*
Faites vos mots croisés *Make your own crossword*
les mots croisés *the crossword*
Échangez-les . . . *Swap them . . .*
avec un(e) ami(e) *with a friend*
N'oubliez pas de consulter . . . *Don't forget to look at . . .*
Que dites-vous? *What do you say?*
Trouvez . . . *Find . . .*
un concours *a competition*

POUR VOUS AIDER

On se salue *Everyone greets each other*
Salutations! *Greetings!*
la bonne salutation *the right greeting*
Comment saluez-vous ces personnes? *How would you greet these people?*
Vous arrivez sur terre pour la première fois *You arrive on earth for the first time*
Vous avez le bonjour de la planète XQZ *Hello from the planet XQZ*

MODULE 2

Je me présente!

Objectif

How to give, ask and understand names

How to say where someone lives

A

Salut! Nous voici!

Salut! Je m'appelle Olivier Rousseau.
Voici Sébastien.

Bonjour! Je m'appelle Sébastien Tessier.
Voici Chloé.

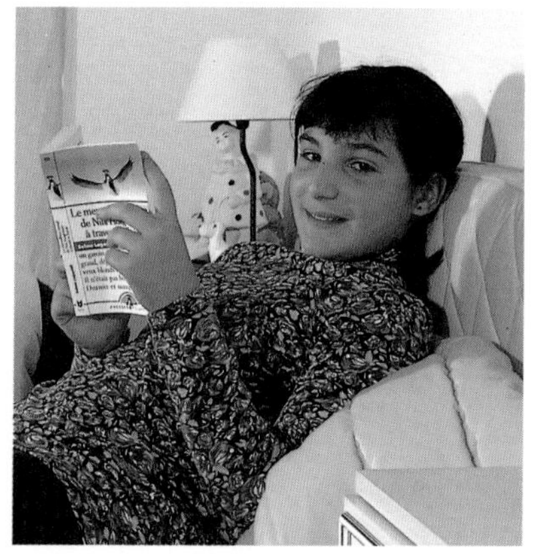

Bonjour! Je m'appelle Chloé Girard.
Voici Caroline, Alain et Nina.

Salut! Je m'appelle Caroline Girard.

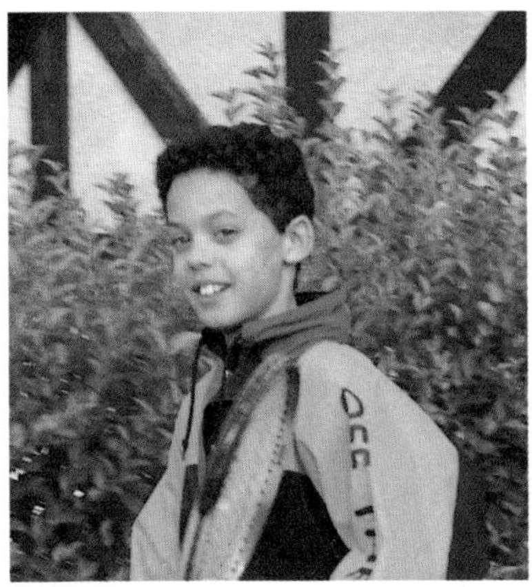

Bonjour! Moi, je m'appelle Alain Merceron.

Bonjour! Je m'appelle Nina Robertson.

B *La bonne oreille*

★ Écoutez-les!
Qui parle à chaque fois?
Regardez ces plaquettes:

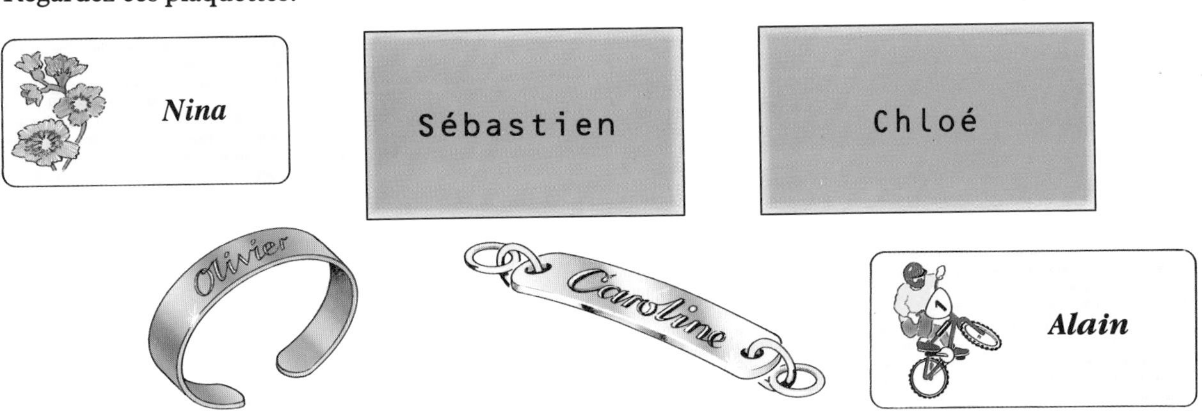

★ Remplissez la grille!

★ Numéro	Prénom
1	
2	
3	
4	
5	
6	

N'écrivez pas sur cette grille

★ Copiez cette grille dans votre cahier.

★ *Résultats*
★ Combien de points avez-vous marqués?

6–5 Bravo!
4–3 ★ Écoutez encore une fois!

C

★ Lisez.
Écoutez-les!

Vrai ou Faux?

1. 

2. 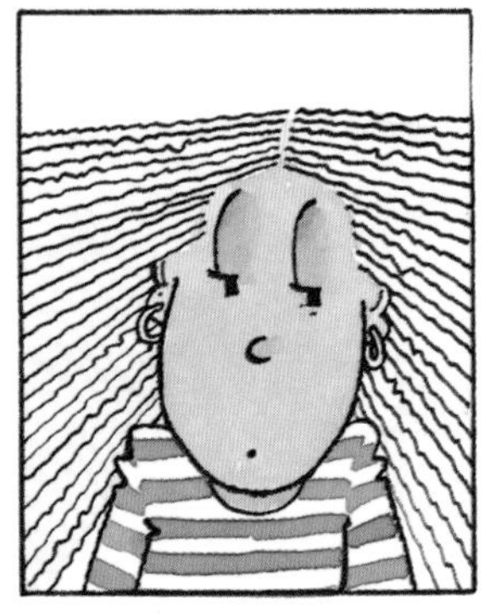

3. 

4. 

D *Le lièvre et la tortue*

Lisez.

E *Nous voici*

Regardez l'image 1.
Que dites-vous pour *vous* présenter?
Regardez l'image 2.
Que dites-vous pour présenter *votre* camarade?

 F

Travaillez avec votre partenaire.
Écoutez Chloé, Alain, Caroline et Sébastien.
Imitez la conversation.
Inventez une conversation avec votre partenaire.

 G

Écoutez et lisez.

Chloé Salut! J'habite à Sceaux, près de Paris. Voici Olivier. Il habite à Sceaux aussi.

Sébastien Bonjour! Moi, j'habite à Paris.

Voici Caroline. Elle habite à Sceaux avec Chloé.

Nina Salut! Et moi, j'habite à Londres.

Et Alain? Il habite à Paris comme Sébastien.

★ *Testez votre mémoire*

Regardez page 16.
★ Cachez Section G.

★ *Vrai ou Faux?*

1. Chloé – elle habite à Sceaux?
2. Alain – il habite à Paris?

★ *Oui ou Non?*
Regardez les photos.

3. Sébastien aime Caroline? Oui ou non?
4. Nina aime Alain? Oui ou non?
5. Chloé aime Olivier? Oui ou non?
6. Nina aime Sébastien? Oui ou non?

H *Qui habite où?*

Chloé et ses ami(e)s ont des correspondant(e)s dans les quatre coins du monde.

1 Écoutez ces personnes. Où habitent-ils?

Madrid — 3 — *Espagne*

1
Londres *Angleterre*

4
Pékin *Chine*

2
Paris *France*

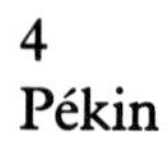

5
Montréal *Canada*

6
Alger

Afrique du Nord

2 Écoutez encore une fois la cassette.

Vrai ou Faux?

1. J'habite à Londres.

2. J'habite à Madrid.

3. J'habite à Paris.

4. J'habite à Alger.

5. J'habite à Montréal.

6. J'habite à Pékin.

1

Monsieur Mitterrand

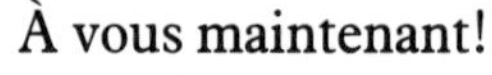

À vous maintenant!

★ Choisissez un(e) partenaire et une personne.

Parlez:

★ **Vous**: Je m'appelle . . .
J'habite à . . .
Et toi?

★ **Votre partenaire**:
Moi, je m'appelle . . .
J'habite à . . .

★ Collez une photo dans votre cahier.

Monsieur Gorbachev

La Princesse Diana

Aide-Mémoire

Comment t'appelles-tu? *What's your name?*
Je m'appelle . . . *My name is . . .*
Où habites-tu? *Where do you live?*
J'habite . . . à Paris *I live . . . in Paris*
à Londres *in London*

 J *Où habitent-ils?*

Écoutez ces personnes.

Exemple: 1. Ken habite à Pékin.

★

Écoutez-les! *Listen to them!*
Remplissez . . . *Fill in . . .*
Numéro . . . *Number . . .*
Copiez . . . *Copy . . .*
dans votre cahier *in your exercise book*
résultats *results*
Combien de points avez-vous marqués? *How many points did you score?*
encore une fois *again*
Lisez *Read*
Cachez . . . *Hide . . .*
Vrai ou Faux? *True or False?*
Oui ou Non? *Yes or No?*
Choisissez un(e) partenaire *Choose a partner*
Vous *You*
Votre partenaire *Your partner*
Collez une photo . . . *Stick a photo . . .*
Testez votre mémoire *Test your memory*
Inventez un puzzle *Invent a puzzle*

★ *Testez votre mémoire*

Puzzle
Écrivez les phrases:

★ Inventez un puzzle pour votre partenaire!

Je m'appelle Jean. J'habite à Paris.
Moi, j'habite à Pékin.
J'habite à Madrid en Espagne.
J'habite à Londres. Je m'appelle Bob.
J'habite à Montréal. Je m'appelle Pauline.
Comment t'appelles-tu?

POUR VOUS AIDER

Je me présente! *I'll introduce myself!*
La bonne oreille *A good ear*
Regardez ces plaquettes *Look at these nameplates*
prénom, nom *first name, family name*
Qui habite où? *Who lives where?*
Chloé et ses ami(e)s ont des correspondant(e)s *Chloé and her friends have penfriends*
dans les quatre coins du monde *in the four corners of the world*
Où habitent-ils? *Where do they live?*

MODULE 3 De quelle nationalité êtes-vous?

Objectif ***How to tell and understand someone's nationality***

A *Vous êtes d'où?*

Écoutez la cassette.
Que disent-ils?

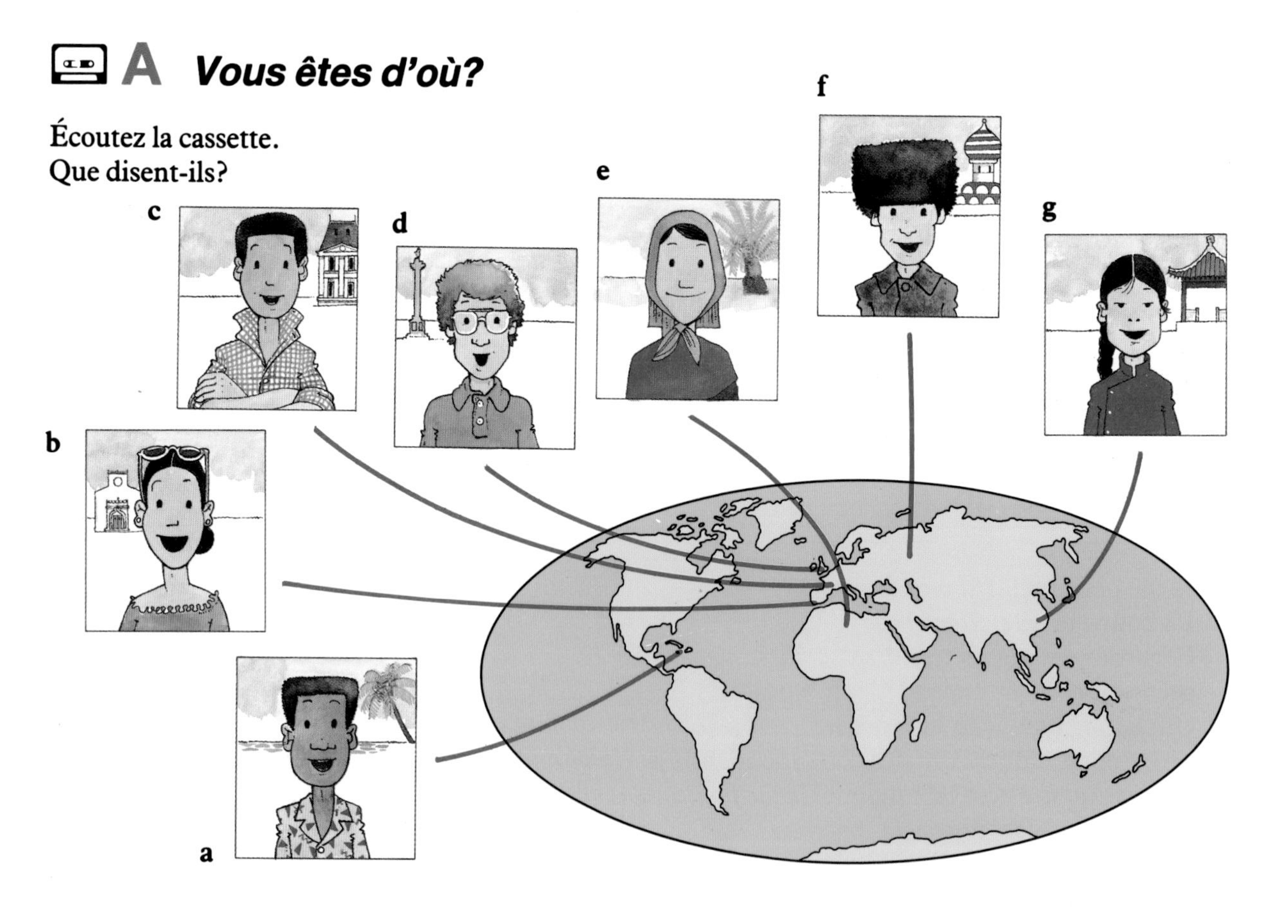

B

Lisez.
★ Quelle description va avec quel dessin?
Regardez le globe.

1. 'Je m'appelle Louise.
   Je suis portugaise!'

2. 'Je m'appelle Zakina.
   Je suis algérienne!'

3. 'Je m'appelle Pierre.
   Je suis antillais!'

4. 'Je m'appelle Mimi.
   Je suis chinoise!'

5. 'Je m'appelle John.
   Je suis anglais!'

6. 'Je m'appelle Michel.
   Je suis français!'

7. 'Je m'appelle Alexandre.
   Je suis russe!'

C *Quelle est leur nationalité?*

1 Lisez et écoutez!

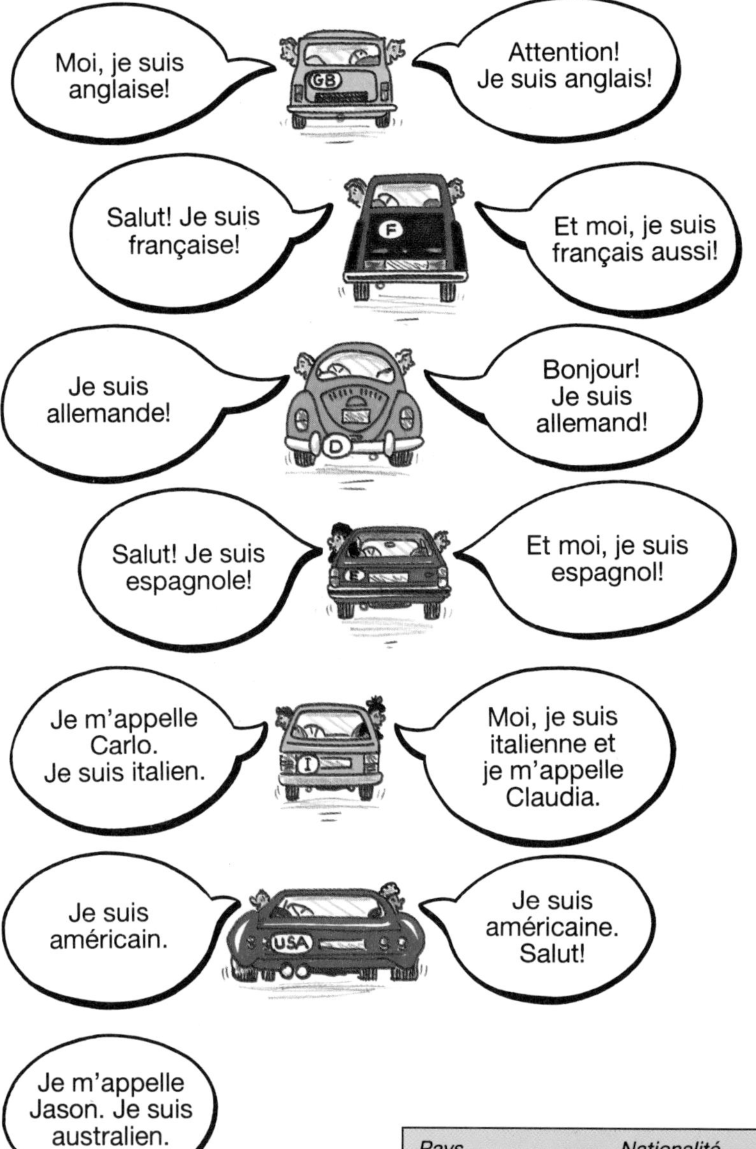

Pays		*Nationalité*
GB	la Grande Bretagne l'Angleterre	britannique anglais(e)
F	la France	français(e)
D	l'Allemagne	allemand(e)
E	l'Espagne	espagnol(e)
I	l'Italie	italien(ne)
USA	l'Amérique	américain(e)
AUS	l'Australie	australien(ne)

Aide-Mémoire

Vous êtes d'où/Tu es d'où? *Where do you come from?*
Quelle est votre nationalité? *What is your nationality?*
Quelle est ta nationalité? *What is your nationality?* (for a friend or somebody of your own age)

Je suis algérien/algérienne.
Je suis allemand/allemande.
Je suis américain/américaine.
Je suis anglais/anglaise.
Je suis antillais/antillaise.
Je suis australien/australienne.
Je suis chinois/chinoise.
Je suis écossais/écossaise.
Je suis espagnol/espagnole.
Je suis français/française.
Je suis hongrois/hongroise
Je suis indien/indienne.
Je suis irlandais/irlandaise.
Je suis italien/italienne
Je suis jamaïcain/jamaïcaine.
Je suis portugais/portugaise.
Je suis russe.

Qui suis-je? *Who am I?*

Quelle description va avec quel dessin? *Which description goes with which drawing?*
Exercice à trous *Gap-filling exercise*
Devinette *Guessing game*
Faites un poster *Make a poster*
Écrivez . . . *Write . . .*
le carré *square*
Devinez *Guess*

Flash-Grammaire

You have probably noticed from the Aide-Mémoire and Section C on page 24 that there are two different endings for the nationality words in French. For example:

This is because the French like to show whether they're talking about a girl (feminine), or a boy (masculine). Which will *you* need to say for your nationality?

2 ★ *Exercice à trous*

Remplissez les trous.

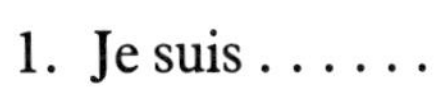

1. Je suis . . . . . .

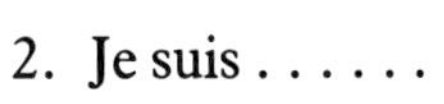

2. Je suis . . . . . .

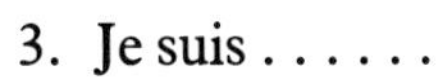

3. Je suis . . . . . .
4. Je suis . . . . .
5. Je suis . . . . . .
6. Je suis . . . . . .

1.

3.

5.

2.

4.

6.

D ★ *Devinette: Quelle est leur nationalité?*

1 Regardez ces photos de personnes célèbres. De quelle nationalité sont-ils?

1. Leonardo da Vinci
2. Madonna
3. Princess Diana
4. Jason Donovan
5. President Gorbachev
6. Paul McCartney
7. Tom Cruise
8. Steffi Graf

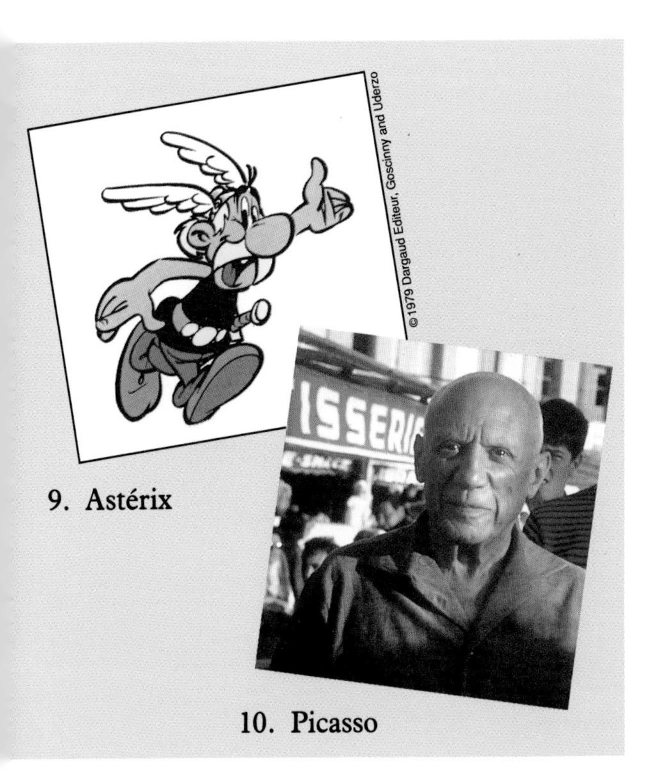

9. Astérix

10. Picasso

Exemple:

1. Il est italien. 2. Elle est . . . . . .

2 *Vrai ou Faux?*
Regardez les phrases suivantes et écrivez la bonne nationalité.

Exemple:

1. Tom Cruise est russe. Vrai?
   Non, il est américain.
2. Madonna est allemande.
3. Paul McCartney est anglais.
4. Gorbachev est italien.
5. Picasso est espagnol.
6. Princess Diana est russe.
7. Jason Donovan est anglais.
8. Leonardo da Vinci est américain.
9. Steffi Graf est allemande.
10. Astérix est français.

E

Parlez!
Travaillez avec un(e) partenaire.
Regardez les photos et choisissez un homme ou une femme.
Dites votre nationalité.
Demandez 'Qui suis-je?'

Exemple:

Vous: Bonjour. Je suis italien. Qui suis-je?

F

★ Faites un poster et collez vos personnalités préférées.
★ Écrivez leur nationalité.

G *Le carré des nationalités*

★ Six noms de nationalités sont cachés dans ce carré.
Trouvez-les!

Dans votre cahier, écrivez-les!

T	A	A	M	E	R	I	F	D
L	M	N	H	G	D	T	R	N
K	F	G	T	A	M	A	J	A
Q	A	L	G	I	R	L	O	M
F	R	A	N	C	A	I	S	E
U	X	I	N	D	I	E	N	L
Z	E	S	P	A	G	N	O	L
P	O	R	T	U	G	A	I	S
S	T	S	I	O	N	I	H	C

À vous maintenant! Faites votre puzzle ou votre carré de nationalités.

H Les amis du monde entier

Make a list of all the different nationalities of these people looking for penfriends.

Italienne de 14 ans recherche correspondants. **Francesca Cranisi, via Eta 20, 92031 Menfi (AG), Italie.**

Allemande de 15 ans désire correspondre avec garçons et filles français. **Sylvia Knopf, Köllnisch Str. 25, Düsseldorf, Allemagne.**

Portugaise de 16 ans cherche des correspondants français. **Fara Maria Oliveira da Perez, rue Aranjo Caranda 25, Braga, Portugal.**

Hongroise de 13 ans recherche des correspondants entre 12 et 14 ans. **Magda Balogh, 105 rue Gesztenyes, Szazhalombatta, Hongrie.**

Égyptien de 14 ans désire correspondre avec des jeunes français. **Ahmed Latif, 85 Dokki, Guiza, Égypte.**

Des lycéens anglais de 12 à 15 ans recherchent des correspondants français. Écrire à: **Fulbourne School, Kirbymoorside, North Yorkshire, Angleterre.**

Jeune Ivoirienne de 16 ans cherche correspondants. **Fabienne Kassi, 5a rue Bleue, 75013 Paris.**

I Les globetrotters

Écoutez la cassette et la musique.
★ Devinez: d'où sont-ils?

J

Le Crédit Lyonnais remercie ses clients . . .
Lisez. Couvrez la page.
Faites la liste des nationalités mentionnées.

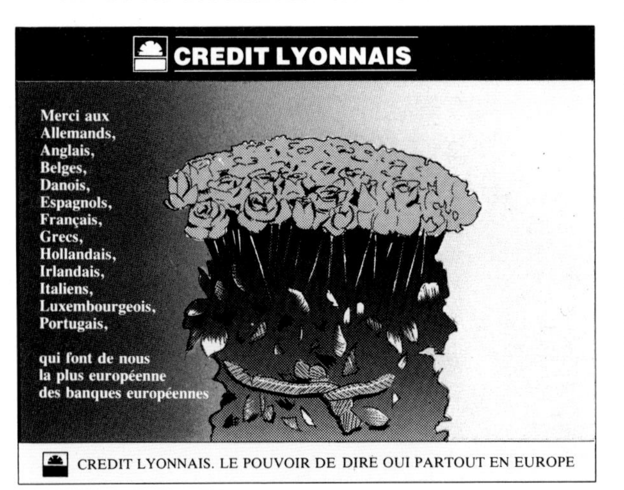

Notez votre score!

	votre score	*score maximum*
Carré des nationalités p. 27		6
Crédit Lyonnais		12

. . . remercie ses clients . . . *thanks its customers*
Faites la liste des . . . *Make a list of* . . .

*info*CULTURE

Le Crédit Lyonnais is the name of a bank in France.

K *Ici on parle français . . .*

On parle français dans beaucoup de pays.
Regardez la carte et écoutez les conversations.
Où habitent-ils?

Remplissez la grille.

Pays	*Pays*
1	6 ....
2	7 ....
3	8 ....
4	9 ....
5	10 ....

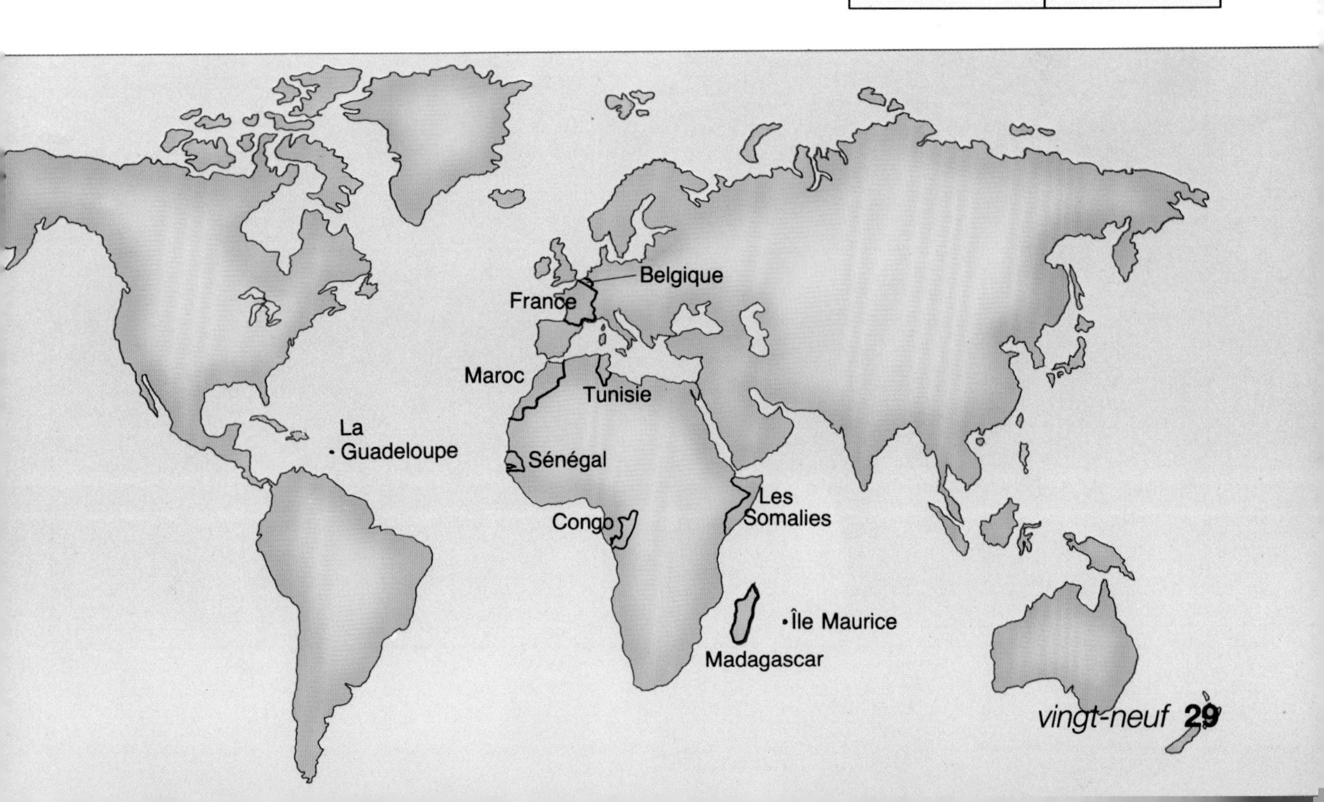

Testez votre mémoire

Travaillez avec un(e) partenaire.

1 Quelle est la nationalité?

Exemple: 1. Je suis algérienne.
4. Je suis britannique.

En difficulté? Regardez page 24!

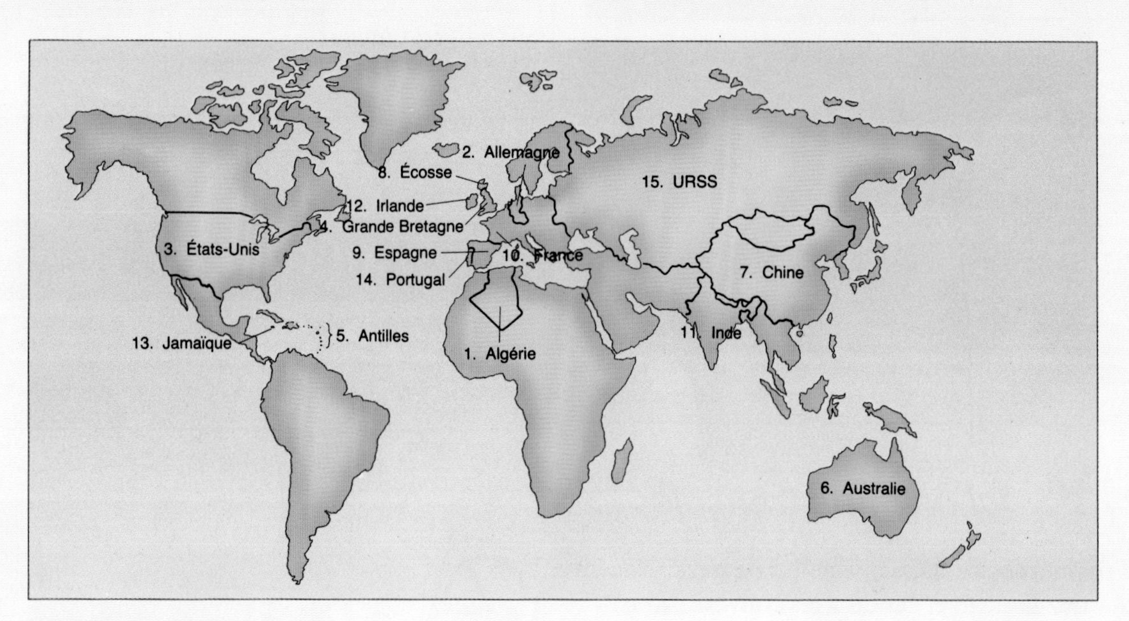

2 Ici on parle français!
C'est quel pays?
Écrivez les noms!
Travaillez avec votre partenaire.

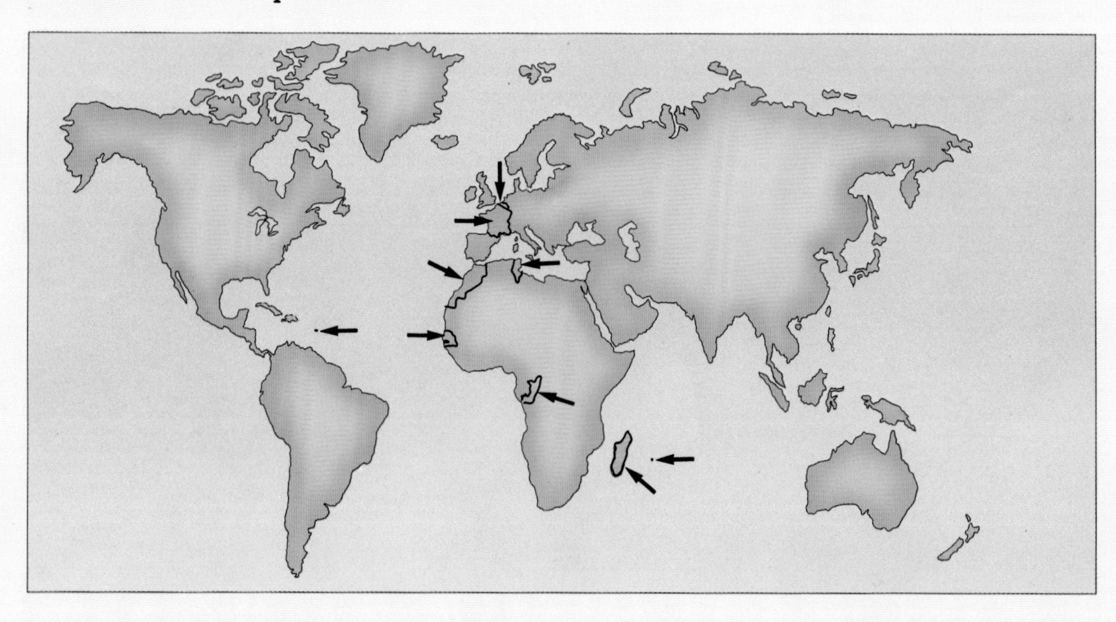

Flash-Grammaire

En, au, aux

With feminine countries (the ones ending with **e**) 'to' or 'in' is **en**. For example:

1. Je vais **en** Allemagne
   I go to Germany
2. J'habite **en** France
   I live in France

With masculine countries, it is **au**. For example:

1. Je vais **au** Canada
   I go to Canada
2. J'habite **au** Portugal
   I live in Portugal

Fais attention! (*Be careful!*)
Some countries are plural, e.g. **les États-Unis**.
'In' or 'to' with plural countries is translated by **aux**.
For example:
aux États-Unis
Let's see if you have understood. Now do the exercise on the right.

Exercice
Look at the list below and fill in the gaps with **en**, **au** or **aux**.
Then tick the names of the countries in which you think French is spoken.
The first one has been done for you.

1. ..au.. Canada. ✓
2. ...... Japon.
3. ...... Angleterre.
4. ...... Seychelles.
5. ...... Allemagne.
6. ...... Maroc.
7. ...... Tunisie.
8. ...... Russie.
9. ...... Belgique.
10. ...... Somalie.

N'écrivez pas sur cette grille

Use the *Lexique* to help you and look at Section K on page 29.

POUR VOUS AIDER

De quelle nationalité sont-ils? *What is their nationality?*
Choisissez un homme ou une femme *Choose a man or a woman*
Dites votre nationalité *Say your nationality*
Demandez 'Qui suis-je?' *Ask 'Who am I?'*
Collez vos personnalités préférées *Stick in your favourite famous people*
Six noms de nationalités sont cachés dans ce carré *The names of six nationalities are hidden in this box*
Faites votre puzzle ou votre carré de nationalités *Make your own puzzle or wordsearch of nationalities*
Devinez: d'où sont-ils? *Guess where they are from*
Couvrez la page *Cover the page*
Faites la liste des nationalités mentionnées *Make a list of the nationalities mentioned*

MODULE 4

Les chiffres

Objectif — ***How to recognise and use numbers***

A

Attention!
Quatre . . . trois . . . deux . . . un . . . zéro!

★ Écoutez et répétez.

B La ronde des chiffres

Écoutez la cassette et répétez les chiffres.

 C Les chiffres mélangés

Oh là là! Tous les chiffres sont mélangés.
Écrivez ceux que vous entendez.

Exemple: deux . . . quatre . . .

D Les cyclistes arrivent!

Écoutez le commentaire.
L'ordre est correct?

E

1 Parlez. Bienvenue dans l'Avenue Charles de Gaulle!
Qui habite à quel numéro?

2 Maintenant, écrivez.
Exemple:

1. Michel habite au numéro trois.
2. ....

F *Concours de patinage*

Écoutez les juges.
Écrivez les points.

Concurrent 1:	*points*
juge anglais	
juge français	
juge allemand	
juge américain	
juge portugais	
juge belge	
juge italien	
juge espagnol	

N'écrivez pas sur cette grille

*info*CULTURE

The game of Bingo is very popular in France.
It's called LOTO. Why not have a go at playing it?

Write down any six numbers between 1 and 16.
If your teacher reads out a number you have written down, you can cross it out.
When you have crossed out all your numbers, shout 'LOTO' and you may have won.

Why not play LOTO with your friends?
But first you have to read your numbers to make sure you know them!

LOTO

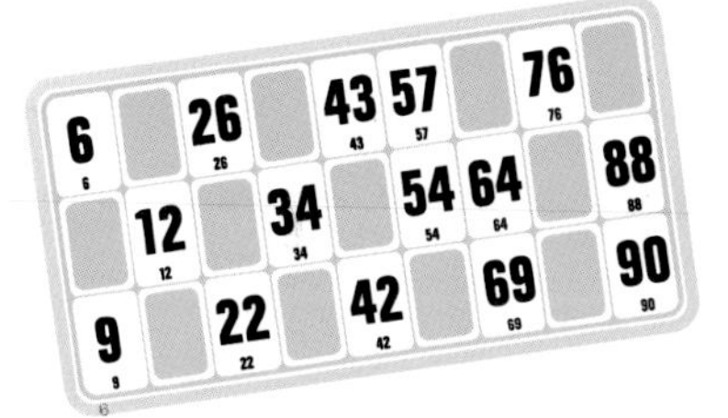

G *Le jeu des chiffres*

Écoutez la cassette. Calculez!

Exemple 1: 4 + 8 égale 12.
Question 1: ....
Question 2: ....

Exemple 2: 13 − 7 égale 6.
Question 3: ....
Question 4: ....

Exemple 3: 6 ÷ 2 égale 3.
Question 5: ....
Question 6: ....

Exemple 4: 4 × 3 égale 12.
Question 7: ....
Question 8: ....

H

Travaillez avec votre partenaire. Calculez en français.

POUR VOUS AIDER

+ plus	− moins
÷ divisé par	× multiplié par

Exemple:

Vous: Onze moins cinq plus deux égale . . . ?
Votre partenaire: Huit!
Vous: Bravo!

Les calculatrices sont interdites!

*info*CULTURE

Just like the English, the French love game shows! Games such as *Des Chiffres et Des Lettres* are on French television every day. Other popular shows include *Top 50*, *Le Juste Prix* and *Tapis Vert*.

What game shows do you know on English television?

I Un message secret

Qui suis-je?

10 5 / 13 1 16 16 5 12 12 5 / 6 18 1 14 11 5 14 19 20 5 9 14 .
5 20 / 20 15 9 ?

POUR VOUS AIDER A = 1, B = 2, etc.

Préparez un message pour votre partenaire.
Dites les chiffres en français!

Répétez . . . *Repeat . . .*
Lisez à haute voix! *Read aloud!*

Testez votre mémoire

Travaillez avec votre partenaire.
★ Lisez à haute voix!

12 13 15 1 2 4 7 16 8 8 11 14 16 7 3 4 6 9

1 5 9 10 12 1 7 9 16 15 3 5 11 13 14 9 10 2

Le record? 28 secondes!

POUR VOUS AIDER

Répétez les chiffres *Repeat the numbers*
Tous les chiffres sont mélangés *All the numbers are muddled up*
Écrivez ceux que vous entendez *Write down the ones you hear*
Écoutez le commentaire *Listen to the commentary*
L'ordre est correct? *Is the order correct?*
Bienvenue . . . *Welcome . . .*
Qui habite à quel numéro? *Who lives at which number?*
Concours de patinage *Skating competition*
un juge *a judge*
Calculez . . . *Work out (this maths) . . .*
Préparez un message pour . . . *Make up a message for . . .*
Dites les chiffres en français *Say the numbers in French*

MODULE 5

Quel âge avez-vous?

Objectifs ***How to tell, ask and understand someone's age***

A

Écoutez et regardez

1.

3.

5.

2.

4.

Quel âge as-tu? J'ai deux ans.

J'ai cinq ans.

J'ai sept ans.

J'ai onze ans.

J'ai douze ans.

 B

À vous maintenant!
Écoutez Chloé et ses amis.

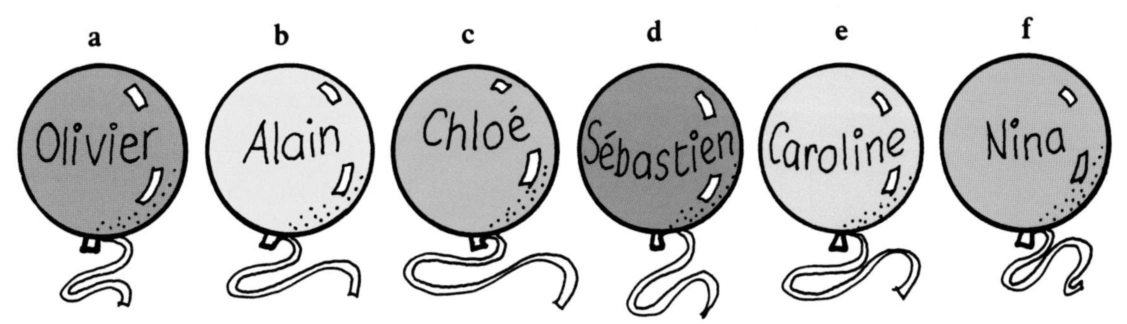

Que disent-ils?
★ Copiez cette grille dans votre cahier et remplissez-la.

a	b	c	d	e	f
14					

N'écrivez pas sur cette grille

C

À vous maintenant! Travaillez avec un(e) partenaire.
Préparez votre publicité. Enregistrez votre annonce.

Exemple: Je suis une Toyota. J'ai deux ans.

Maintenant, écrivez votre publicité dans votre cahier.
★ Regardez le modèle.

★ Illustrez votre annonce.

D

Travaillez avec votre partenaire.
★ En secret votre partenaire choisit une fiche. ★ Posez des questions.
Trouvez tous ses détails personnels sur la fiche de votre partenaire.

A	B	C
Sara anglaise 14 ans habite en France	**Pedro** espagnol 12 ans habite en Espagne	**Claudia** allemande 15 ans habite en Italie

D	E	F
Henri français 13 ans habite en Belgique	**Guo-ben** chinois 11 ans habite en Belgique	**Simone** jamaïcaine 16 ans habite en Angleterre

Maintenant votre partenaire écrit deux fiches.
★ Et vous écrivez deux fiches.
Posez des questions. Trouvez tous ses détails personnels.

Exemple:
Comment t'appelles-tu?
Quelle est ta nationalité?
Quel âge as-tu?
Tu es d'où?

E *SOS Amitié*

Lisez ces lettres. Quel âge ont les jeunes personnes?

1. Quel âge a Karine Abbou?
2. Quel âge a Sandrine?
3. Quel âge a Gérard?
4. Quel âge a Matthieu Bombino?
5. Quel âge a Florence Géray?

J'ai 13 ans et j'aimerais correspondre avec fille ou garçons de mon âge. J'aime beaucou Michael Jackson, Madonna et les Animaux Karine Abbou, 13 avenue Louis-Armand 3818(Crépy.

J'ai 12 ans et je voudrais correspondre avec filles italiennes ou françaises. J'adore Jason Donovan et David Halliday. J'aime aussi les chats et les photos. Sandrine, 11 rue Victor Hugo, 39120 Chaussin.

J'ai quinze ans. Je désire correspondre avec filles et garçons de 15 à 17 ans. J'aime beaucoup Eddie Murphy et les Beatles. Écris-moi vite. Gérard. Tel. 4770 79 12.

J'ai 12 ans. Désire correspondre avec filles et garçons entre 13 ans et 15 ans. Joindre photo si possible. Matthieu Bombino, tel. 3559 48 17.

J'ai quatorze ans. Recherche une correspondante entre 16 et 17 ans parlant anglais. J'aime George Michael, Madonna, et Patrick Bruel. Florence Géray, 2 rue de Sévigny, 89400 Migennes.

ENVOYEZ-NOUS
VOTRE PETITE ANNONC

Si vous désirez faire paraître une peti gratuite, remplissez soigneusement le per ci-dessous.

PODIUM-HIT - B.P. 415.0
75366 PARIS CEDEX 0

Rubrique choisie . . . .
Texte . . . .

Nom . . . . Age . . . . . .
Prénom . . . .
Adresse . . . .

Code postal . . . .
Ville . . . .

F

Parlez.
Choisissez une des cartes d'anniversaire.
Dites votre âge.

Concours: Faites votre carte d'anniversaire!

G

Écrivez.
★ Faites correspondre les questions avec les réponses.
Écrivez les phrases correctes.

a Comment t'appelles-tu?
b Où habites-tu?
c Quel âge as-tu?
d De quelle nationalité es-tu?
e Tu es français ou anglais?

1. Je suis anglais.
2. Je m'appelle Sylvie.
3. J'ai douze ans.
4. Je suis française.
5. J'habite à Paris.

 H

Écoutez.
Vous allez entendre une série de six phrases.

– Quelles sont les questions?
– Quelles sont les réponses?

★ Cochez la case appropriée dans la grille.

	1	2	3	4	5	6
Question						
Réponse						

Remplissez-la *Fill it in*
Regardez le modèle *Look at the example*
Illustrez . . . *Illustrate . . .*
En secret . . . *Without being seen . . .*
Posez des questions *Ask questions*
Vous écrivez . . . *You write . . .*
Faites correspondre . . . *Match up . . .*
Cochez la case appropriée dans la grille *Tick the appropriate box in the grid*
N'oubliez pas . . . *Don't forget . . .*
Collez-la au mur de votre classe *Stick it on your classroom wall*

1 Sondage-reportage de Chloé

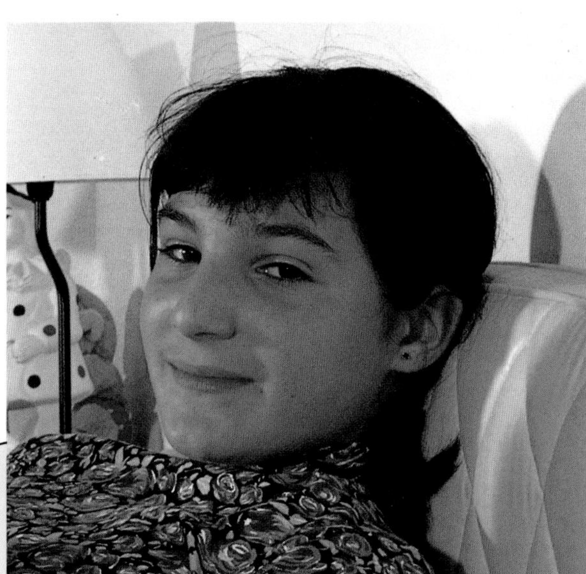

VOTRE PHOTO

Bonjour! Comment t'appelles-tu?

Je ....

Où habites-tu?

J'............. ....

Quel âge as-tu?

J'...... ....

De quelle nationalité es-tu?

Je ....

N'écrivez pas sur cette page

N'oubliez pas de consulter votre Aide-Mémoire

Chloé vous pose des questions.
Collez votre photo dans le cadre et complétez la fiche.

*info*CULTURE

On se dit bonjour par écrit . . .

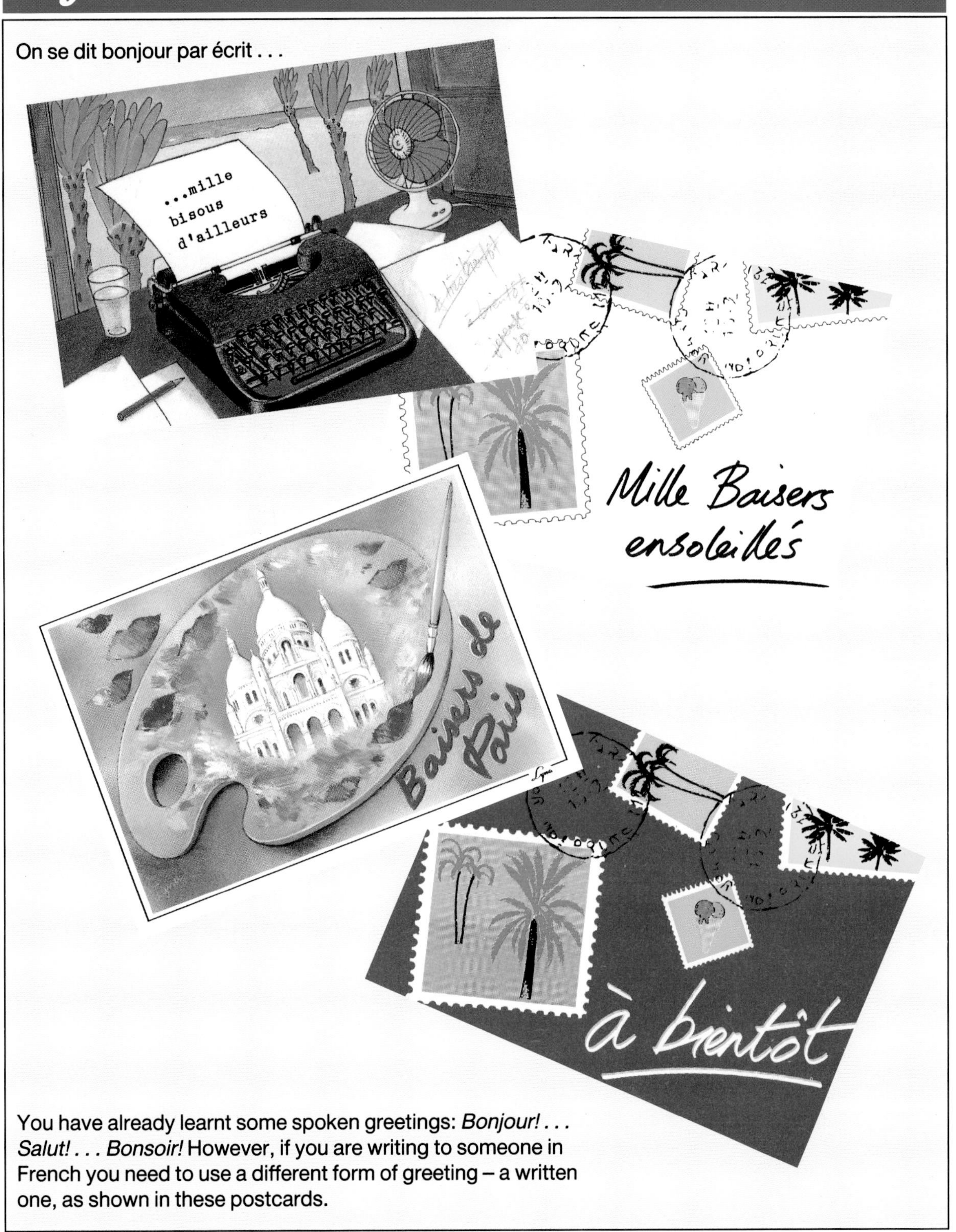

You have already learnt some spoken greetings: *Bonjour! . . . Salut! . . . Bonsoir!* However, if you are writing to someone in French you need to use a different form of greeting – a written one, as shown in these postcards.

J *Les cartes postales*

Lisez ces quatre cartes postales. Combien de détails pouvez-vous trouver?

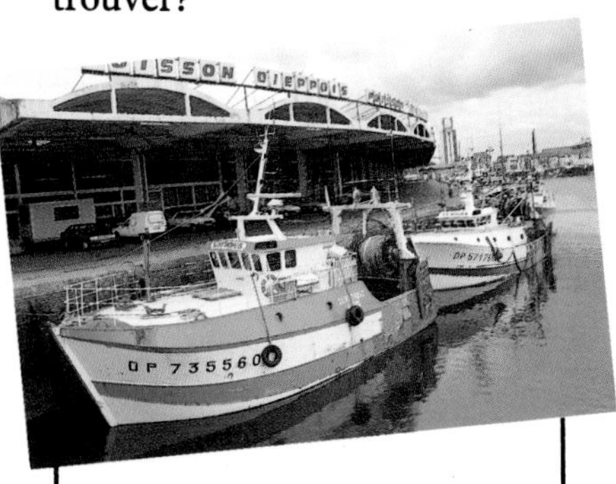

Bisous de Dieppe!
Je m'appelle Arnaud. J'ai seize ans. Cherche un correspondant de 14 à 16 ans.

Un bonjour de Cannes!
Ça va? J'habite à Cannes.
J'ai onze ans.
Cherche correspondants de 12 à 14 ans.

Un salut de Paris!
Salut, ça va?
Je m'appelle Christine.
J'ai douze ans. Cherche correspondants de 11 à 15 ans.

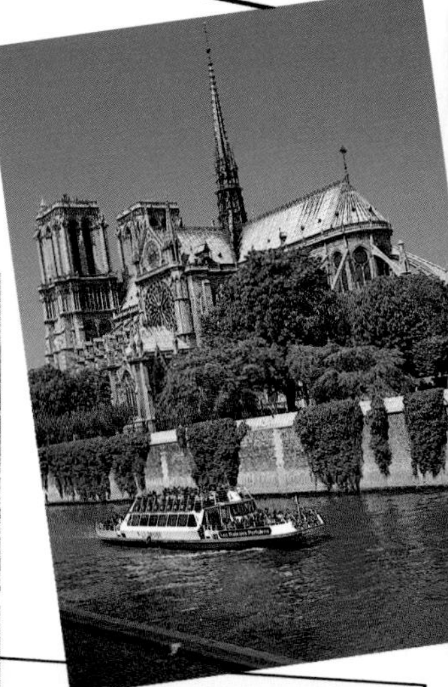

Pensées de Boulogne!
je m'appelle Marie,
j'ai treize ans.
Cherche fille de 12ans

Aide-Mémoire

Quel âge avez-vous?
Quel âge as-tu?

J'ai onze ans.
J'ai douze ans.
J'ai treize ans.

Apprenez par cœur!

un	1	**neuf**	9
deux	2	**dix**	10
trois	3	**onze**	11
quatre	4	**douze**	12
cinq	5	**treize**	13
six	6	**quatorze**	14
sept	7	**quinze**	15
huit	8	**seize**	16

Une suggestion: écrivez maintenant votre carte postale.
★ N'oubliez pas la salutation . . .

★ Collez votre carte postale dans votre cahier, envoyez-la à votre correspondant(e), ou collez-la au mur de votre classe!

– Why not stick your own card in your exercise book or send it to your penfriend?

Testez votre mémoire

Travaillez avec votre partenaire.
Faites sept phrases.

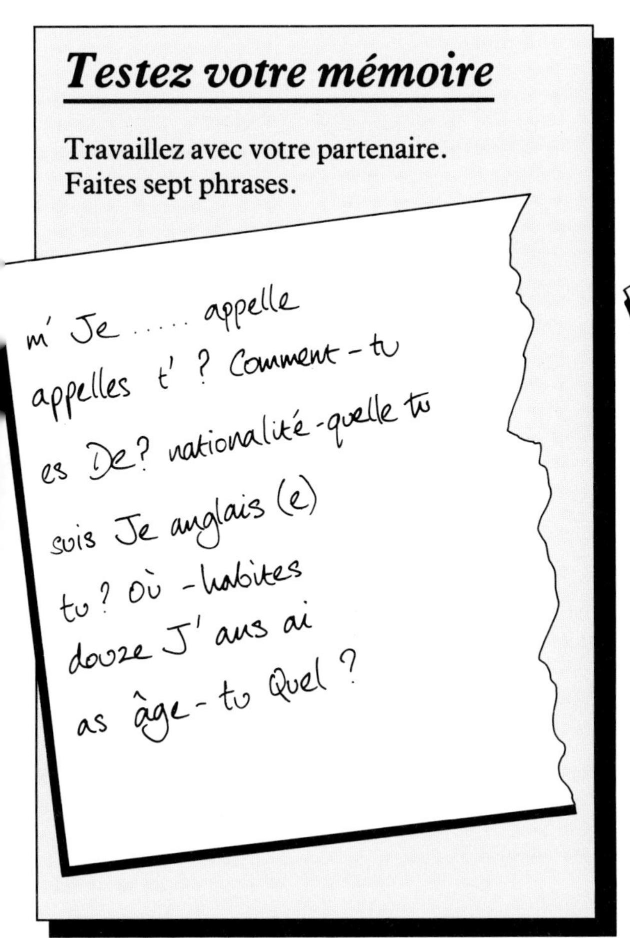

VOCAB *infos*

Voici deux lettres d'Olivier et de Chloé.
Pouvez-vous répondre à leurs questions?

Bonjour,
Je m'appelle Chloé, j'habite à Sceaux et j'ai onze ans. Et toi? Comment t'appelles-tu? Où habites-tu? Quel âge as-tu?
Écris-moi vite!
À bientôt,
Chloé
XX

Salut!
Je m'appelle Olivier. J'habite à Sceaux, près de Paris et j'ai quatorze ans. Je suis français.
Quel est ton nom?
Quel âge as-tu?
Réponds-moi vite!!
Olivier
X.

POUR VOUS AIDER

Préparez votre publicité *Make up a (TV) advertisement*
Enregistrez votre annonce *Record your commercial*
Votre partenaire choisit une fiche *Your partner chooses a form*
Trouvez tous ses détails personnels sur la fiche de votre partenaire *Find out all the personal details on your partner's form*
Votre partenaire écrit deux fiches *Your partner writes out two forms*
Quel âge ont les jeunes personnes? *How old are the young people?*
Choisissez une des cartes d'anniversaire *Choose one of the birthday cards*
Faites correspondre les questions avec les réponses *Match the questions with the answers*
Vous allez entendre une série de six phrases *You are going to hear six sentences*
Chloé vous pose des questions *Chloé is asking you some questions*
Combien de détails pouvez-vous trouver? *How much information can you work out*
Envoyez-la à votre correspondant(e) *Send it to your penfriend*
Collez-la au mur de votre classe! *Stick it on your classroom wall!*
Pouvez-vous répondre à leurs questions? *Can you answer their questions?*

MODULE 6

Une pause verte

Objectifs

How to use the French alphabet
How to understand French handwriting

A *L'alphabet fait la queue!*

Apprenez à prononcer l'alphabet français.
Écoutez et répétez chaque lettre.

B

Maintenant écoutez et répétez chaque groupe de lettres.

C *La chanson de l'alphabet*

Écoutez la chanson. Puis chantez-la!
Pouvez-vous inventer une chanson à vous?

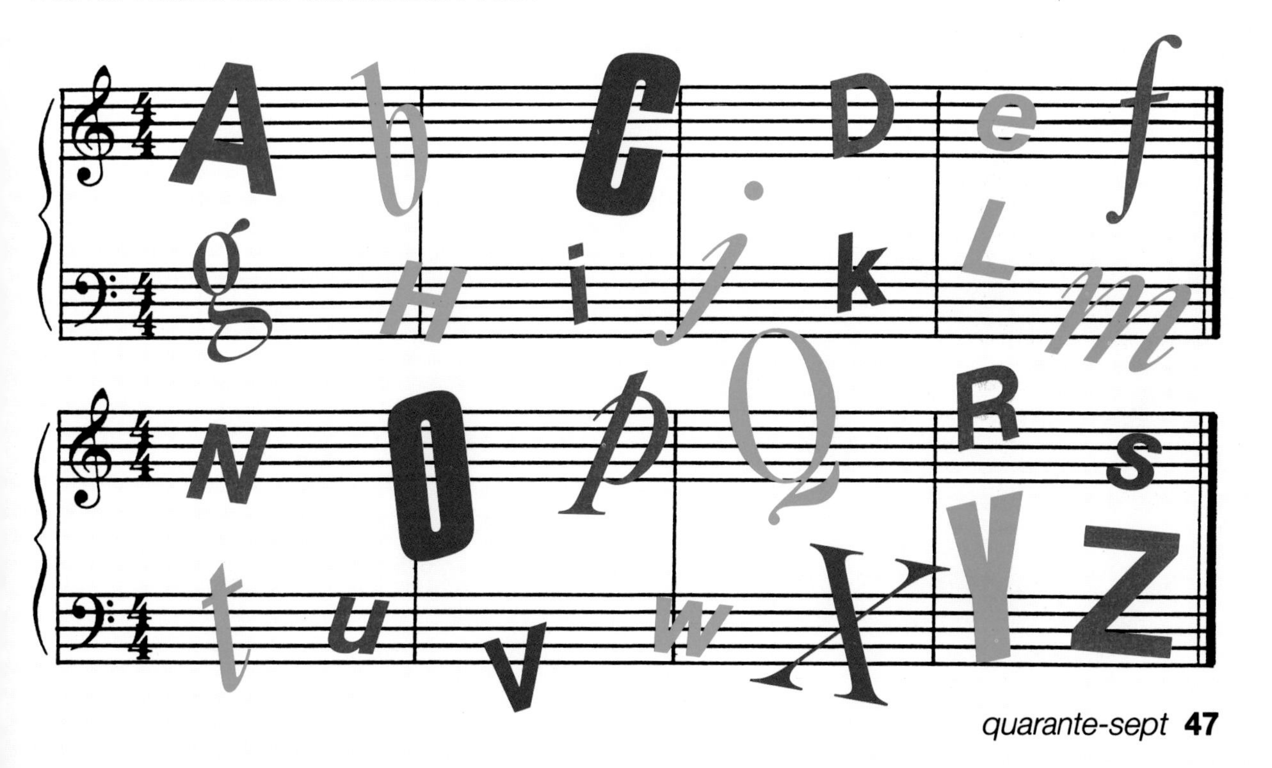

 D

Écoutez la cassette.
Découvrez la lettre qui manque.

Exemple:

N'écrivez pas sur cette grille

1. –ONJOUR.
   Il manque B.
2. AU _EVOIR.
3. S_L_T.
4. B_NN_ N__T.
5. _A V_?
6. BIE_ _ER_I.
7. __NSOIR.
8. _AS TRE_ B_EN.

E Méli-mélo

L'ordinateur a un virus –
★ l'alphabet est tout mélangé.
★ Remettez les lettres dans le bon ordre.

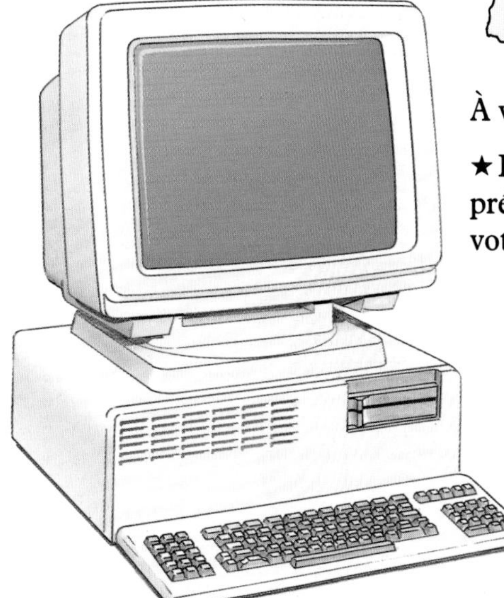

F

Écoutez et écrivez.
Quels sont les prénoms épelés?
★ Choisissez parmi cette liste:

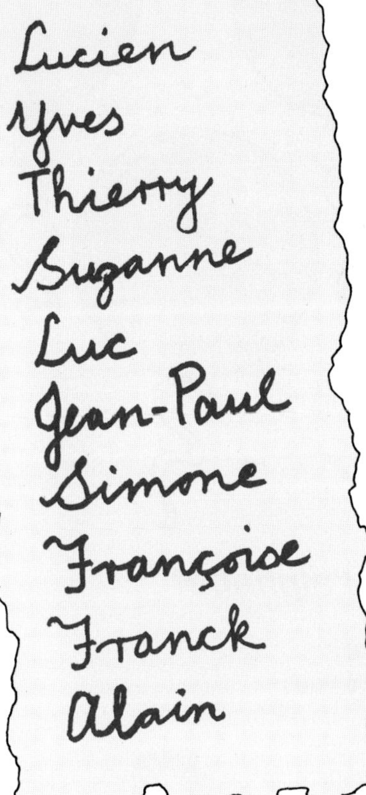

À vous maintenant!

★ Épelez votre nom et votre prénom. Épelez le prénom de votre camarade.

G L'alphabet des muets

Connaissez-vous l'alphabet des muets?
Regardez.

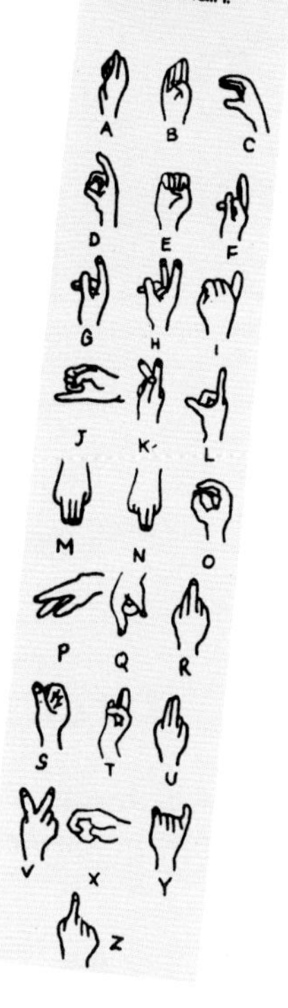

À vous maintenant!

Sans parler, dites 'Bonjour', 'Au revoir' etc. en utilisant cet alphabet des muets.

C'est tout mélangé *It's all muddled up*
Remettez . . . dans le bon ordre *Put . . . into the right order*
Choisissez parmi cette liste *Choose from this list*
Épelez . . . *Spell . . .*

*info*CULTURE

As you can see, the French alphabet is the same one used in English.

The only difference is the accents which can be found over some vowels (**a, e, i, o, u**).

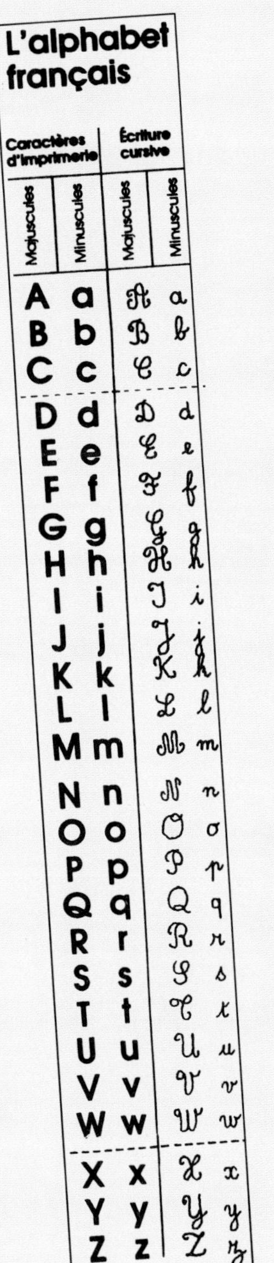

French handwriting is also different. What do you notice about the handwritten letters?

H *Les gens de lettres*

Voici des prénoms français.

Monique	Odette
Sébastien	Martin
Victor	Élisabeth
Patrick	Véronique
Claudine	Germaine
Simon	Julien

1. Regardez 'Les gens de lettres' et trouvez le prénom de ces personnages.
2. Choisissez un des prénoms et épelez-le.

LES GENS DE LETTRES

Pour découvrir le prénom de ces personnages, trouve les lettres qui les composent, et remets-les dans le bon ordre. *(Pour t'aider, quelques lettres sont déjà écrites dans chaque prénom.)*

3. Faites votre 'Gens de lettres' avec les prénoms de vos ami(e)s. N'oubliez pas de les épeler.

Testez votre mémoire

Travaillez avec votre partenaire.
Lisez à haute voix!

A B C D E F G H I J K L M N O P Q R S T U V W X Y Z

Record: 10 secondes!

Z Y X W V U T S R Q P O N M L K J I H G F E D C B A

Record: 12 secondes!

POUR VOUS AIDER

L'alphabet fait la queue! *The alphabet lines up!*
Apprenez à prononcer l'alphabet français *Learn to say the French alphabet*
La chanson de l'alphabet *The alphabet song*
Chantez-la! *Sing it!*
Pouvez-vous inventer une chanson à vous? *Can you make up your own song?*
Découvrez la lettre qui manque *Discover the missing letter*
Quels sont les prénoms épelés? *Which of these first names are being spelt out?*
L'alphabet des muets *The finger alphabet (in sign language)*
Sans parler *Without speaking*
Dites 'Bonjour', 'Au revoir' en utilisant cet alphabet des muets *Use this finger alphabet to say 'Hello', 'Goodbye'*

C'EST TON PROFIL

Coche ce que tu as appris.

Maintenant je peux . . .	*bien*	*moyen*	*pas très bien*	**Si tu es prêt, tu coches ☑ Si tu ne peux pas, mets une croix ☒ et révise la page . . .**
dire 'Bonjour'/'Salut'	☐	☐	☐	**6**
dire 'Bien merci' 'Comme ci comme ça' 'Pas très bien'	☐	☐	☐	**6**
demander 'Et toi?' 'Ça va?'	☐	☐	☐	**6**
dire 'Je m'appelle . . .'	☐	☐	☐	**12**
demander 'Comment t'appelles-tu?'	☐	☐	☐	**20**
dire 'J'habite à . . .'	☐	☐	☐	**16**
demander 'Où habites-tu?'	☐	☐	☐	**20**
dire 'Je suis . . . (nationalité)'	☐	☐	☐	**23**
demander 'Quelle est ta nationalité?' 'Tu es . . . (nationalité)?'	☐	☐	☐	**24**
compter de 1 à 16	☐	☐	☐	**32**
dire 'J'ai . . . ans' demander 'Quel âge as-tu?'	☐	☐	☐	**38**
épeler mon nom et mon prénom	☐	☐	☐	**48**

N'écrivez pas sur cette page

MODULE 7 *Je vous présente ma famille!*

Objectifs

How to say who the people are in my family

How to introduce my family and understand someone introducing their family

 **A**

Écoutez la cassette. Regardez les photos.
Que dit Caroline?

1. C'est moi.
2. C'est mon père.
3. C'est ma sœur.

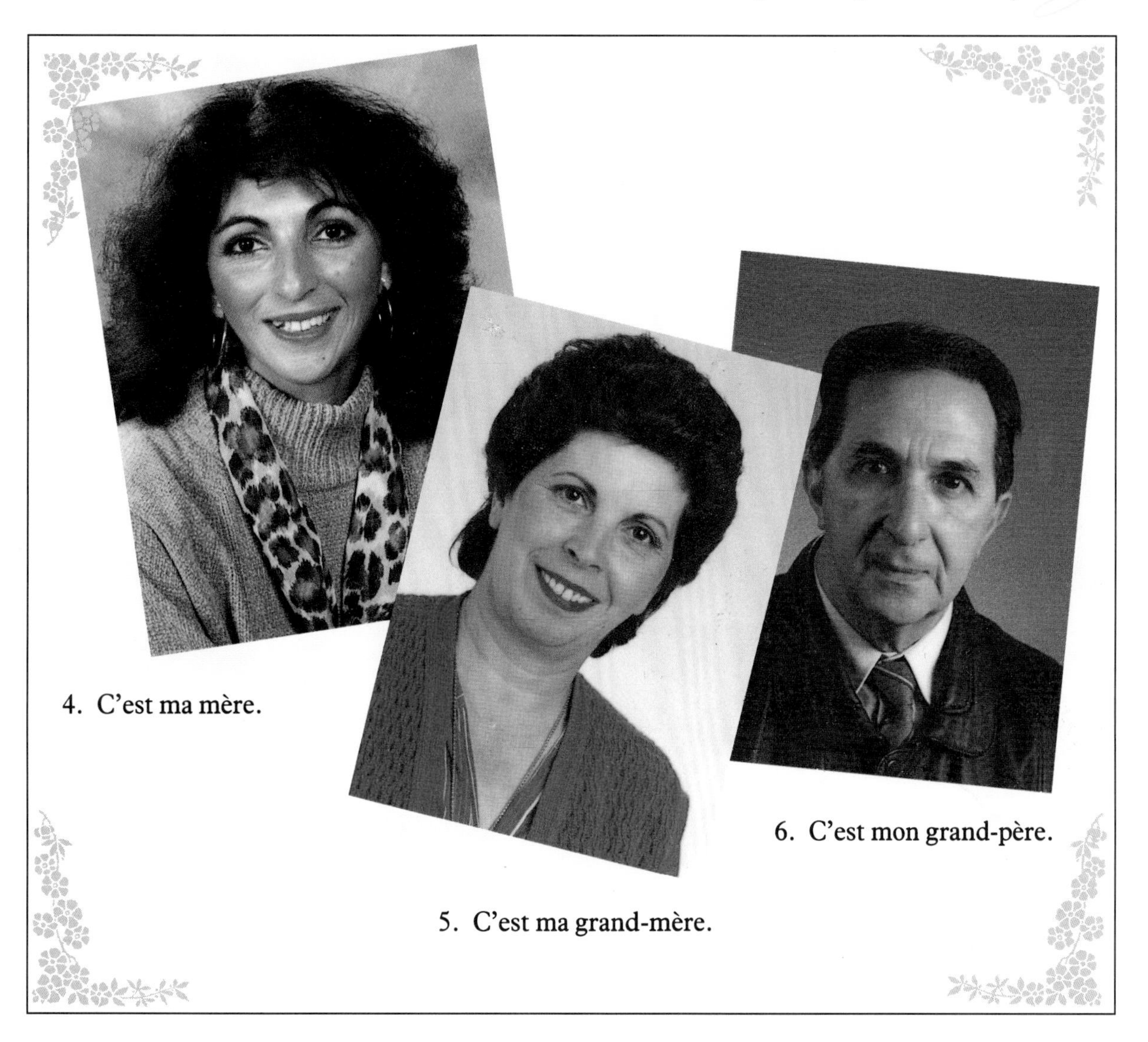

4. C'est ma mère.

5. C'est ma grand-mère.

6. C'est mon grand-père.

B

Et maintenant, Caroline demande à Alain de parler de sa famille.
Écoutez-le. Qui est-ce à chaque fois?

1. C'est ....
2. ....
3. ....
4. ....

N'écrivez pas sur cette grille

C L'album de famille 'sens dessus dessous'

Lisez et écrivez.
Voici la famille de Caroline et d'Alain. Mais les étiquettes sont mélangées!
Remettez les étiquettes dans le bon ordre.

Exemple:
Photo 1 C'est ma . . . . . .
Photo 2 C'est . . . . . .

1

2

3

C'est moi, Caroline

C'est ma grand-mère...

C'est ma soeur

C'est mon père

4

5

6

C'est ma soeur, Chloé

C'est moi, Alain

D

1 ★ Travaillez en groupes de deux ou trois. Regardez les dessins.

Vous êtes *une fille* ou *un garçon* dans une des familles. Présentez votre famille.
Écoutez l'exemple:

Voici Marie. C'est ma mère.
Voici Paul. C'est mon père.
Voici Jean et Gustave. Ce sont mes frères.
Voici Fifi. C'est mon chat.
Voici Claudine. C'est ma grand-mère.
Voici Pierre. C'est mon grand-père.
J'habite au numéro 11.
Je m'appelle . . . . . . ?

2 *Devinette*

★ Trouvez mon nom.

Mon père s'appelle Henri.
Ma mère s'appelle Anne.
Ma sœur s'appelle Sophie.
J'ai deux chats, Minou et Minette,
et j'ai un chien, Hector.
Je m'appelle . . . . . . ?

★ Écrivez une devinette pour votre partenaire.

E *L'album de famille*

À vous maintenant!
Parlez et écrivez.

Présentez votre famille ou une famille imaginaire.
Quelques suggestions:
Dans votre cahier, dessinez votre album de famille ou collez des photos de votre famille ou d'une famille imaginaire.

Aide-Mémoire

Je vous présente . . .
Je te présente. . . *Let me introduce . . .*

. . . ma famille *. . . my family*
. . . mon album de famille *. . . my family album*

C'est . . . *This is . . .*
. . . ma mère *. . . my mother*
. . . ma sœur *. . . my sister*
. . . ma demi-sœur *. . . my step-sister*
. . . ma grand-mère *. . . my grandmother*
. . . mon père *. . . my father*
. . . mon frère *. . . my brother*
. . . mon demi-frère *. . . my step-brother*
. . . mon grand-père *. . . my grandfather*

Ce sont . . . *These are . . .*
. . . mes parents *. . . my parents*
. . . mes grand-parents *. . . my grandparents*

Flash-Grammaire

Did you notice that in French there are three ways of saying 'my'?

ma mère, **mon** père, **mes** parents

In French, every word which is the name of something is either masculine or feminine. If you want to say 'my', you use:

– **ma** for a feminine word, e.g. **ma mère**
– **mon** for a masculine word, e.g. **mon père**

If you're talking about more than one person (or thing) you use **mes.**

e.g. **mes** parents

F *Jeu des 7 familles*

Salut! Je m'appelle René Rigolotte. Je vous présente ma famille...

Écoutez René Rigolotte.
Qui est-ce à chaque fois?
Remplissez la grille avec **mon, ma, mes**.

1. . . . . . . 4. . . . . . .

2. . . . . . . 5. . . . . . .

3. . . . . . . 6. . . . . . .

G *Avez-vous des frères et des sœurs?*

1 Écoutez ces cinq personnages. Ils vous parlent de leurs frères et sœurs. Que disent-ils?

2 Maintenant, écoutez encore une fois ces personnages. Copiez la grille dans votre cahier et remplissez-la. Regardez l'exemple.

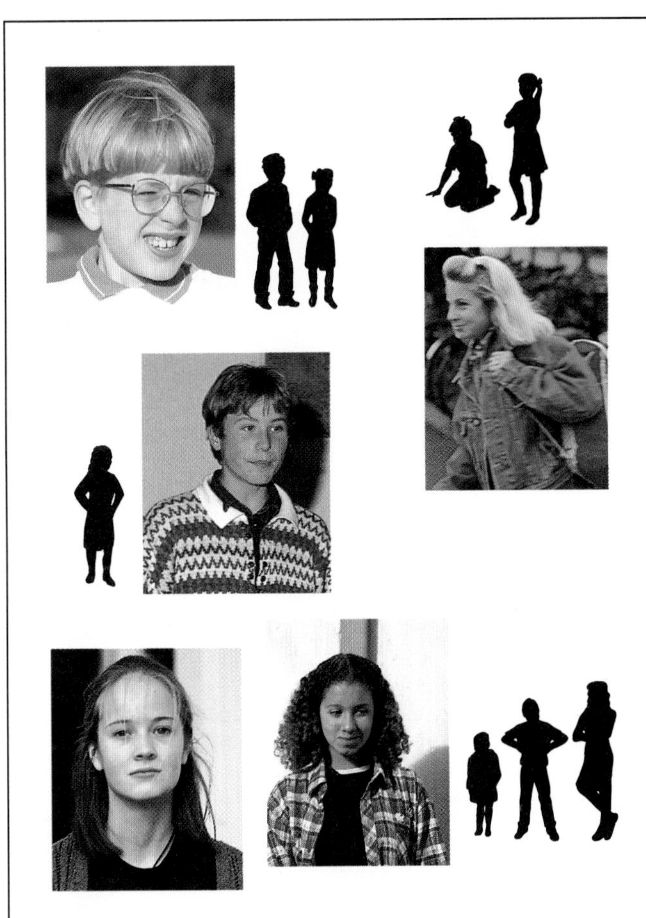

Prénom	Sœurs	Frères
Thierry	1	1
Luc		
Monique		
Catherine		
Isabelle		

N'écrivez pas sur cette grille

Une page de lecture

1 ★ Lisez le faire-part et répondez aux questions en anglais.

1. What relation is Naémie to Pierre-Jean?
2. When was she born?
3. Who do you think M. and Mme Aubert are?

Pierre-Jean est très heureux de
vous annoncer la naissance
de sa petite sœur

Noémie

le 12 Juillet 1991, à 11 h. 30

M. et Mme Jean-François Aubert
18, square Belsunce - 13001 Marseille

2 Lisez 'Tout sur André Agassi.'

TOUT SUR ANDRÉ AGASSI

J'aimerais tout savoir sur André Agassi: son âge, son signe astrologique, où il est né, sa taille, ce qu'il aime, s'il a des frères et sœurs.
Une fidèle lectrice.

André Agassi est né le 29 avril 1970, à Las Vegas. Il est du signe du Taureau. Il mesure 1,78 m, il est blond (pas très naturel!). Il a trois petites sœurs: Phil, Rita et Tamy. Ses parents sont des marchands d'origine arménienne. Il est toujours célibataire et adore faire la fête.

What have you found out about him?

H *Tu as des frères ou des sœurs?*

1 À tour de rôle.
Vous êtes un des personnages ci-dessous.
Répondez à la question posée.
Exemple:

Votre partenaire: Tu as des frères ou des sœurs?
Vous: Oui, j'ai un frère . . .

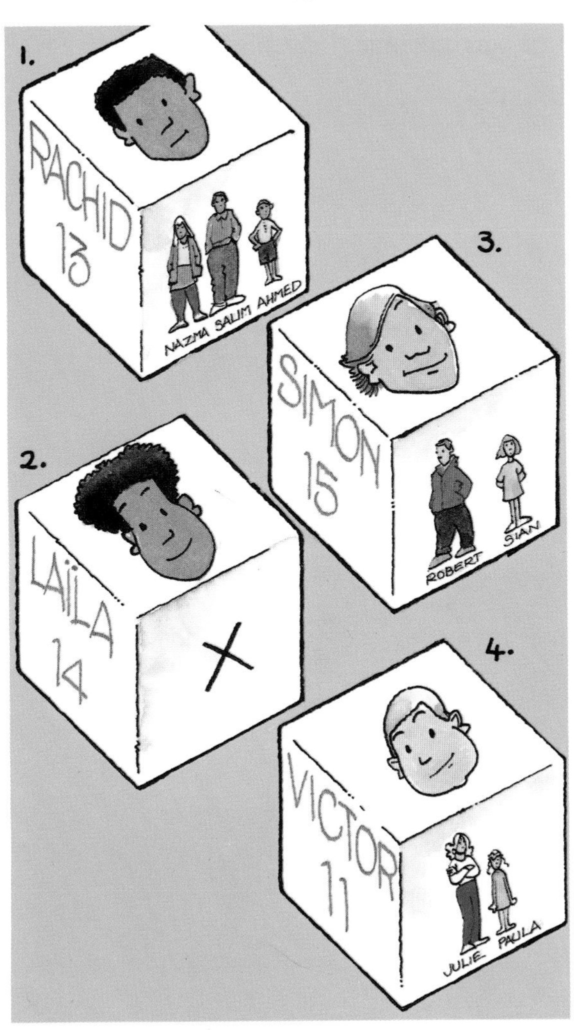

Aide-Mémoire

Tu as des frères ou des sœurs? *Do you have any brothers or sisters?*

J'ai un frère *I have a brother*
J'ai deux frères *I have two brothers*

J'ai une sœur *I have a sister*
J'ai trois sœurs *I have three sisters*

Je suis fils unique *I'm an only child (boy)*
Je suis fille unique *I'm an only child (girl)*

Je n'ai pas de frère/de sœur *I have no brothers/sisters*

J'ai une demi-sœur *I have a half-sister/step-sister*
J'ai un demi-frère *I have a half-brother/step-brother*

Combien de personnes y a-t-il dans ta famille? *How many people are there in your family?*

Dans ma famille, il y a quatre personnes *In my family, there are four people*

2 C'est à votre partenaire de deviner qui vous êtes.

Exemple: C'est Rachid.

Une réponse correcte: un point.

Notez votre score.
4–5 points ★ C'est très bien.
3–2 points ★ Essayez encore une fois.

Travaillez en groupe de deux ou trois *Work in groups of two or three*
Trouvez . . . *Find . . .*
Écrivez une devinette *Write a riddle*
Répondez aux questions en anglais *Answer the questions in English*
C'est très bien *That's very good*
Essayez encore une fois *Try again*
Trouvez les erreurs *Find the mistakes*

Ce n'est pas logique!

1 Lisez et écoutez.
Les phrases suivantes sont toutes fausses.
Écoutez la cassette. ★ Trouvez les erreurs.

1. Je m'appelle Ali et je suis français. J'ai un frère et une sœur. Je suis fils unique.
2. Je m'appelle David et je suis anglais. J'ai trois sœurs. Elle s'appelle Caroline.
3. Je m'appelle Kim et j'ai quatre ans. J'ai un frère. Je suis française.
4. Je m'appelle Joanna. J'ai onze ans et je suis italienne. J'ai trois sœurs.

2 Avec un(e) partenaire écrivez trois phrases qui ne sont pas logiques.

Activités

Jeux télévisés

A Ils présentent leur famille. Mais dans quelques familles il y a un problème – des trous de mémoire . . .

Voici mon père. Il s'appelle Homer.

Voici Marge. C'est ma mère.

Ma sœur s'appelle Lisa.

Et voici Maggie!

Qui suis-je?

Les Simpson

Les voisins

1. Voici mon père. Comment s'appelle-t-il?
2. Il s'appelle Scott. Mais qui est-ce?
3. Voici ma grand-mère. Elle s'appelle Helen.
4. Qui suis-je?

B Parler pour eux!

Les 'Eastenders' © BBC

Testez votre mémoire

Puzzle
Écrivez les phrases.
Remplissez les trous.

N'écrivez pas sur cette page

1. Je vous présente ...... llemifa.
2. Je vous présente ...... reuos.
3. Je vous présente ...... èpre.
4. Je vous présente ...... ranepts.
5. Je vous présente ...... èrem.
6. Je vous présente ...... me-èefrrdi.
7. Je vous présente ...... ranp-degèr.
8. Je vous présente ...... mander'ègr.
9. Je vous présente ...... èrerf.
10. Je vous présente ...... semuori-de.

Inventez un puzzle pour votre partenaire.

POUR VOUS AIDER

Je vous présente ma famille *I'll introduce you to my family*
Mais les étiquettes sont mélangées *But the labels are muddled up*
Remettez les étiquettes dans le bon ordre *Sort out which label goes where*
Vous êtes une fille ou un garçon dans une des familles. Présentez votre famille *You are a girl or a boy in one of the families. Introduce your family*
Ils vous parlent de leurs frères et sœurs *They are talking to you about their brothers and sisters*
Lisez le faire-part *Read the birth announcement*
Vous êtes un des personnages ci-dessous *You are one of the people below*
C'est à votre partenaire de deviner qui vous êtes *Your partner guesses who you are*
Les phrases suivantes sont presque toutes fausses *The sentences which come next are nearly all nonsense*
Avec un(e) partenaire écrivez trois phrases qui ne sont pas logiques *With a partner write down three sentences which don't make sense*
Qui suis-je? *Who am I?*

MODULE 8 *Parlez-moi encore un peu de votre famille*

Objectifs

How to say what the members of my family are called

How to say how old the members of my family are

How to understand extracts from letters about the family

A

Écoutez Pierre, Paul et Jacqueline.
Remplissez les fiches 'ordi-fam'.

Moi, j'habite à Lyon dans un appartement. J'ai deux frères et une sœur. Je m'appelle Pierre.

Regarde! Ça, c'est ma sœur. Elle s'appelle Julie. Je m'appelle Paul.

Moi, j'habite là, tu vois. Ça, c'est ma maison. Et ça c'est ma sœur, mon frère et mes parents. Mon frère s'appelle Samuel et ma sœur Isabelle. Ils sont sympas. Moi, je m'appelle Jacqueline.

La famille de Pierre
Nombre de personnes
* frères: ....
* sœurs: ....

La famille de Paul
Nombre de personnes
* frères: ....
* sœurs: ....

La famille de Jacqueline
Nombre de personnes
* frères: ....
* sœurs: ....

B

À vous maintenant!
Écrivez.
Remplissez votre fiche personnelle, mais n'écrivez pas votre nom et votre prénom.

Ma famille
nom ....
prénom ....
sœurs ....
âge(s) ....
frères ....
âge(s) ....
noms des sœurs ....
noms des frères ....
adresse ....

N'écrivez pas sur cette page

Mettez les fiches sur la table du professeur.
Distribuez-les. Trouvez les noms qui manquent.
Écrivez-les sur les fiches.
Demandez:
'Qui a une sœur qui s'appelle . . . ?'
'Qui a un frère qui s'appelle . . . ?'

C

N'oubliez pas de consulter votre Aide-Mémoire

1 Parlez!
Vous êtes membre de cette famille. Présentez-les.

Exemple: J'ai une sœur. Elle s'appelle Karen.

2 Maintenant, écrivez les détails de chaque personne dans votre cahier!

D *'Tournez avec moi les pages de mon album'*

Écoutez la cassette et regardez les photos. Remplissez la grille.

	nom	âge
sœur		
cousine		
copine 1		
copine 2		
copain		

N'écrivez pas sur cette grille

C'est ma soeur. Elle s'appelle Chloé.

Voici ma cousine. Elle s'appelle Sandrine.

C'est ma copine. Elle s'appelle Marie.

C'est mon copain Raphaël.

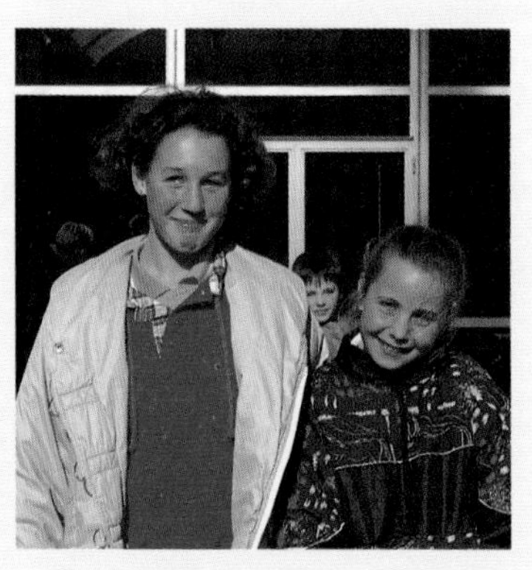

Voici ma copine Sylvie.

Aide-Mémoire

Comment t'appelles-tu? *What is your name?*

Comment s'appelle . . . ? *What's the name of . . . ?*
. . . ton frère? *your brother?*
. . . ta sœur? *your sister?*
. . . ton copain *your friend (boy)*
. . . ta copine *your friend (girl)*

Comment s'appellent-ils/
Comment s'appellent-elles? *What are their names?*
Il s'appelle . . . *He's called . . .*
Elle s'appelle . . . *She's called . . .*
Ils/Elles s'appellent . . . *They're called . . .*

Quel âge a ton frère? *How hold is your brother?*
Quel âge a ta sœur? *How old is your sister?*
Il a onze ans *He's eleven years old*
Elle a dix ans *She's ten years old*
Quel âge ont-ils? *How old are they?*

Supposez que vous allez rencontrer un Français ou une Française. ★ Quelles questions allez-vous poser? Consultez votre Aide-Mémoire pour vous aider.

E *Mon dossier*

How much French have you learnt so far?
Now you can start to make your own project file, *Mon dossier*, to show how much you can do in French.
Illustrate your file with pictures or photos.

Quelques suggestions:

★ Enregistrez-vous et échangez votre cassette avec vos camarades de classe.
Lisez les dossiers de vos camarades.

Votre dossier est très important!
Gardez-le comme un trésor!

F *Jeux*

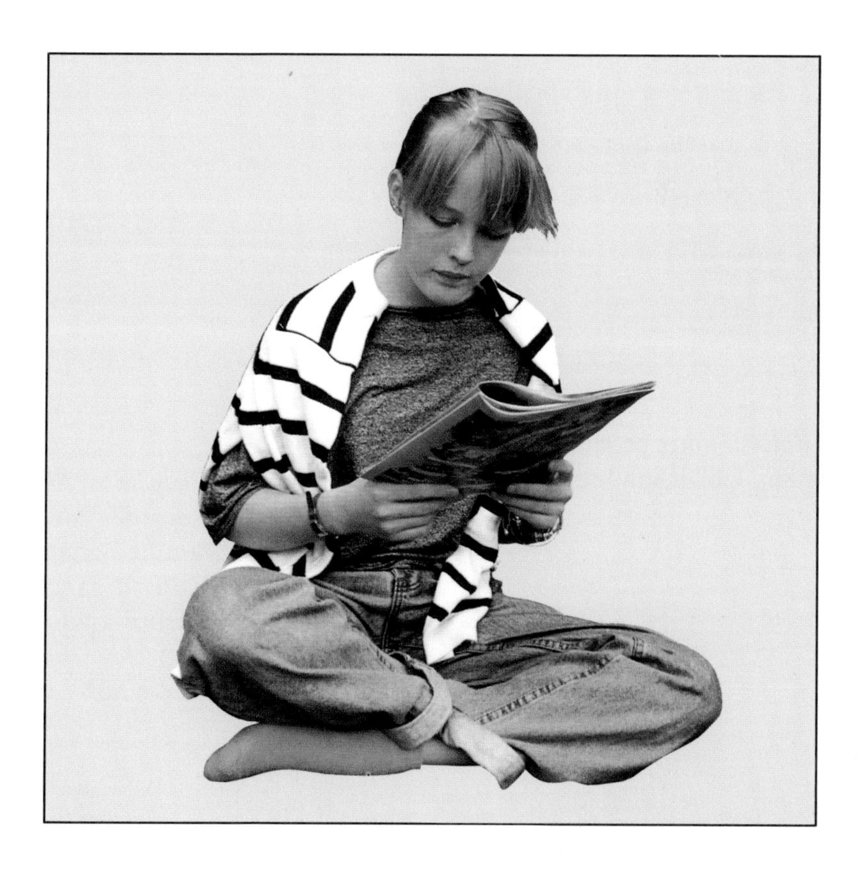

Connaissez-vous bien ces familles?

1. POPOP . . . Qui est-il?
   a le cousin de Donald
   b le hippie de la famille

2. MICHOU?
   a le frère de Jojo
   b le neveu de Mickey

3. Qui est GEPPETTO?
   a le père de Pinocchio
   b le frère de Pinocchio

4. SIMPLET . . . Qui est-ce?
   a un des sept nains
   b la sœur de Donald

5. PAN PAN, c'est:
   a le frère de Bambi
   b un petit lapin

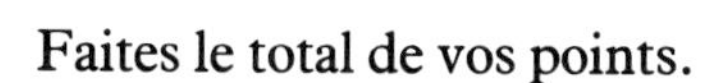

Faites le total de vos points.

Vous avez *cinq points*? – Bravo! Vous connaissez bien la Famille Disney.
Vous avez de *trois* à *quatre points*? – Ce n'est pas mal!

Les réponses
Popop est le hippie de la famille.
Michou est le frère de Jojo.
Geppetto est le père de Pinocchio.
Simplet est un des sept nains.
Pan Pan est un petit lapin.

G *Qui suis-je?*

Mon profil

âge ....

nom de copain(s) ....

....

nom de copine(s) ....

....

nationalité ....

N'écrivez pas sur cette page

j'habite à ....

j'ai un chien qui s'appelle ....

j'ai un chat qui s'appelle ....

Qui suis-je? ....

....

Écrivez votre profil mais n'écrivez pas votre nom. Collez-le au mur.

Les arbres de familles illustres

Regardez l'arbre de famille et suivez les branches.

Enquête sur l'histoire
Regardez dans une encyclopédie. Qui est la famille Bonaparte?
Faites des recherches sur une autre famille célèbre – par exemple Louis XIV ou XVI.

Louis XIV

Une page d'histoire

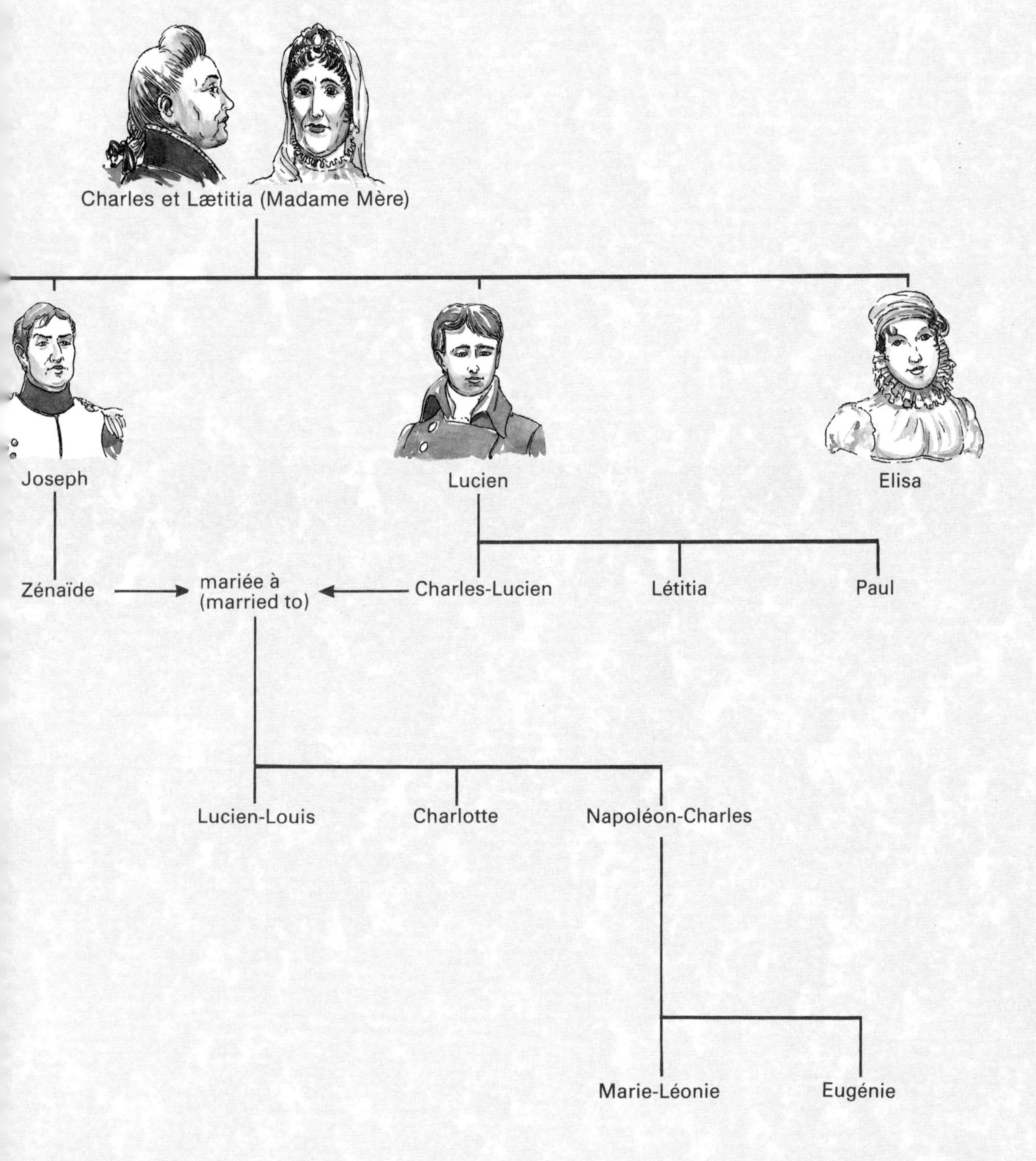

H

À vous maintenant!
Choisissez une famille illustre et dessinez leur arbre de famille.
Écrivez quelques phrases pour dire qui est qui!

Exemple: César, c'est le père de . . .
Cléopatre, c'est la femme de . . .

Quelles questions allez-vous poser? *Which questions are you going to ask?*
Enregistrez-vous *Record yourself!*

Aide-Mémoire

C'est la sœur de . . . *It's the sister of . . .*
C'est le frère de . . . *It's the brother of . . .*
C'est la mère de . . . *It's the mother of . . .*
C'est le père de . . . *It's the father of . . .*

la femme *the wife*
le mari *the husband*
l'arrière grand-père *the great-grandfather*
l'arrière grand-mère *the great-grandmother*
l'arrière-arrière grand-père *the great-great-grandfather*
l'arrière-arrière grand-mère *the great-great-grandmother*
la tante *the aunt*
l'oncle *the uncle*
le cousin *the cousin (male)*
la cousine *the cousin (female)*
la nièce *the niece*
le neveu *the nephew*

N'oubliez pas de consulter votre Aide-Mémoire

VOCAB*infos*

Lisez cette lettre de Caroline. Que dit-elle?

Vieille branche,

Moi c'est Caroline, j'ai quinze ans et j'habite près de Paris. Et toi, tu as quel âge? À la maison, il y a quatre personnes: mon père, ma mère, ma soeur et bien sûr, moi-même. Regarde mon album de famille page 64 du livre. Et toi, parle-moi un peu de ta famille

Bisous
Caroline

How much information about Caroline can you find out from this letter?

Testez votre mémoire

Pouvez-vous reconstituer cette lettre déchirée?
Écrivez-la dans votre cahier.

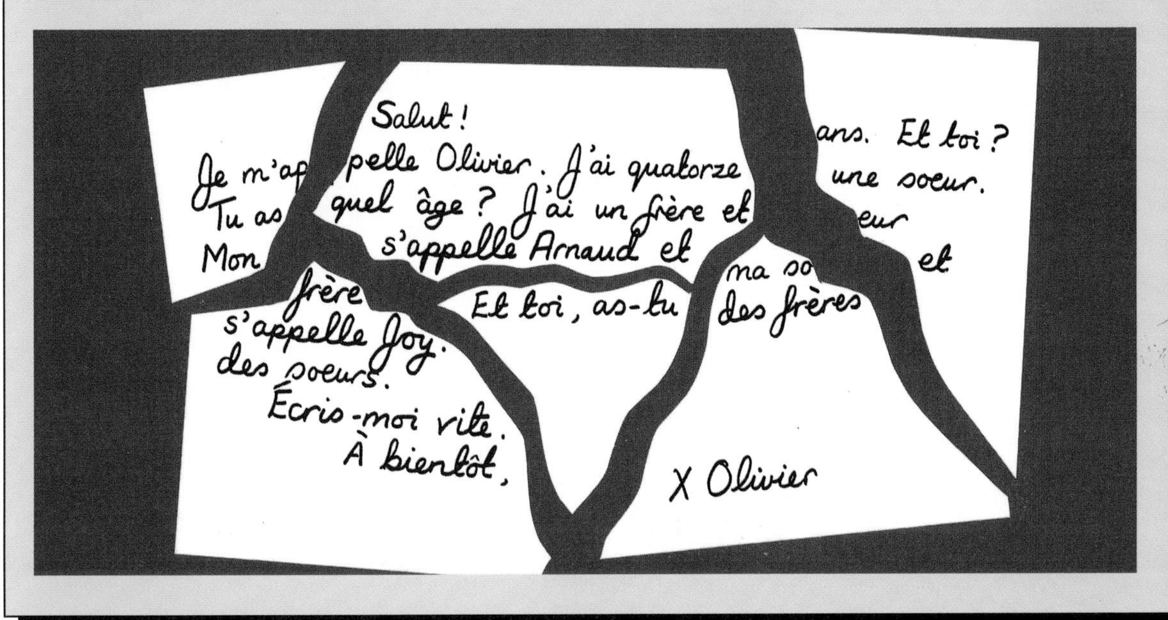

Salut!
Je m'ap pelle Olivier. J'ai quatorze ans. Et toi?
Tu as quel âge? J'ai un frère et une soeur.
Mon s'appelle Arnaud et eur
frère ma so et
s'appelle Joy. Et toi, as-tu des frères
des soeurs.
Écris-moi vite.
À bientôt.
X Olivier

POUR VOUS AIDER

Parlez-moi encore un peu de votre famille *Tell me some more about your family*
Mais n'écrivez pas votre nom et votre prénom *But don't write in your family name and your first name*
Mettez les fiches sur la table du professeur *Put the forms on the teacher's table*
Distribuez-les *Hand them round*
Trouvez les noms qui manquent *Find the missing names*
Vous êtes membre de cette famille *You are a member of this family*
Présentez-les *Introduce them*
Supposez que vous allez rencontrer un Français ou une Française *Imagine you are going to meet a French boy or girl*
Quelles questions allez-vous poser? *What questions will you ask?*
Gardez-le comme un trésor! *Keep it safe!*
Connaissez-vous bien ces familles? *Do you know these families well?*
Enquête sur l'histoire *History project*
Faites des recherches sur une autre famille célèbre *Do some research into another famous family*
Écrivez quelques phrases pour dire qui est qui! *Write a sentence or two to say who is who!*
Pouvez-vous reconstituer cette lettre déchirée? *Can you put this torn letter together again?*

MODULE 9

Au pays des animaux

Objectif *How to understand and talk about animals*

A

Jacqueline et Alain aiment beaucoup les animaux.
Au zoo ils écoutent une cassette qui explique la visite.

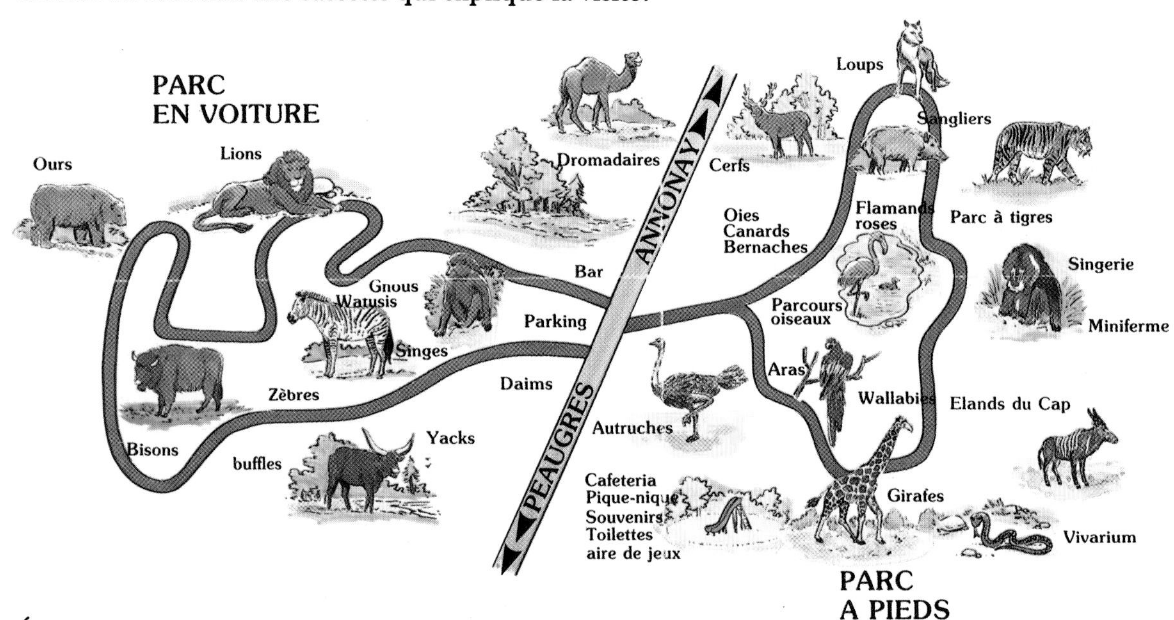

Écoutez la cassette et regardez le plan.
★ Cochez le nom des animaux mentionnés.

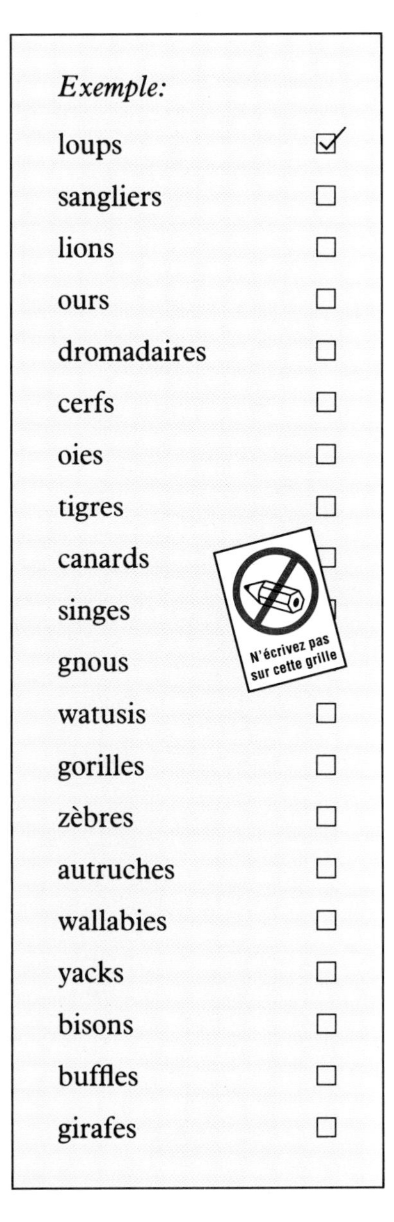

Exemple:

loups	☑
sangliers	☐
lions	☐
ours	☐
dromadaires	☐
cerfs	☐
oies	☐
tigres	☐
canards	☐
singes	☐
gnous	☐
watusis	☐
gorilles	☐
zèbres	☐
autruches	☐
wallabies	☐
yacks	☐
bisons	☐
buffles	☐
girafes	☐

B

Écoutez Jacqueline.

★ Regardez le plan du zoo et le transfert du safari et écrivez les noms des animaux.

★ Entourez le nom des animaux que Jacqueline aime.

Exemple:

C *Lisez et trouvez*

Où sont les animaux?
Au safari il y a deux girafes 

quatre lions , trois singes 

deux éléphants , un panda 

et quatre gorilles 

Regardez le plan à la page 72.

Au pays des animaux

Le panda est à gauche des girafes.
Les gorilles sont à droite des girafes.
Les singes sont à gauche du panda.
Les lions sont à droite des gorilles
et les éléphants c'est tout droit!

Lisez et faites ce puzzle.
Copiez les phrases dans votre cahier.

N'oubliez pas de consulter votre Aide-Mémoire

1. C'est le . . . . . .
2. C'est les . . . . . .
3. C'est les . . . . . .
4. C'est les . . . . . .
5. C'est les . . . . . .

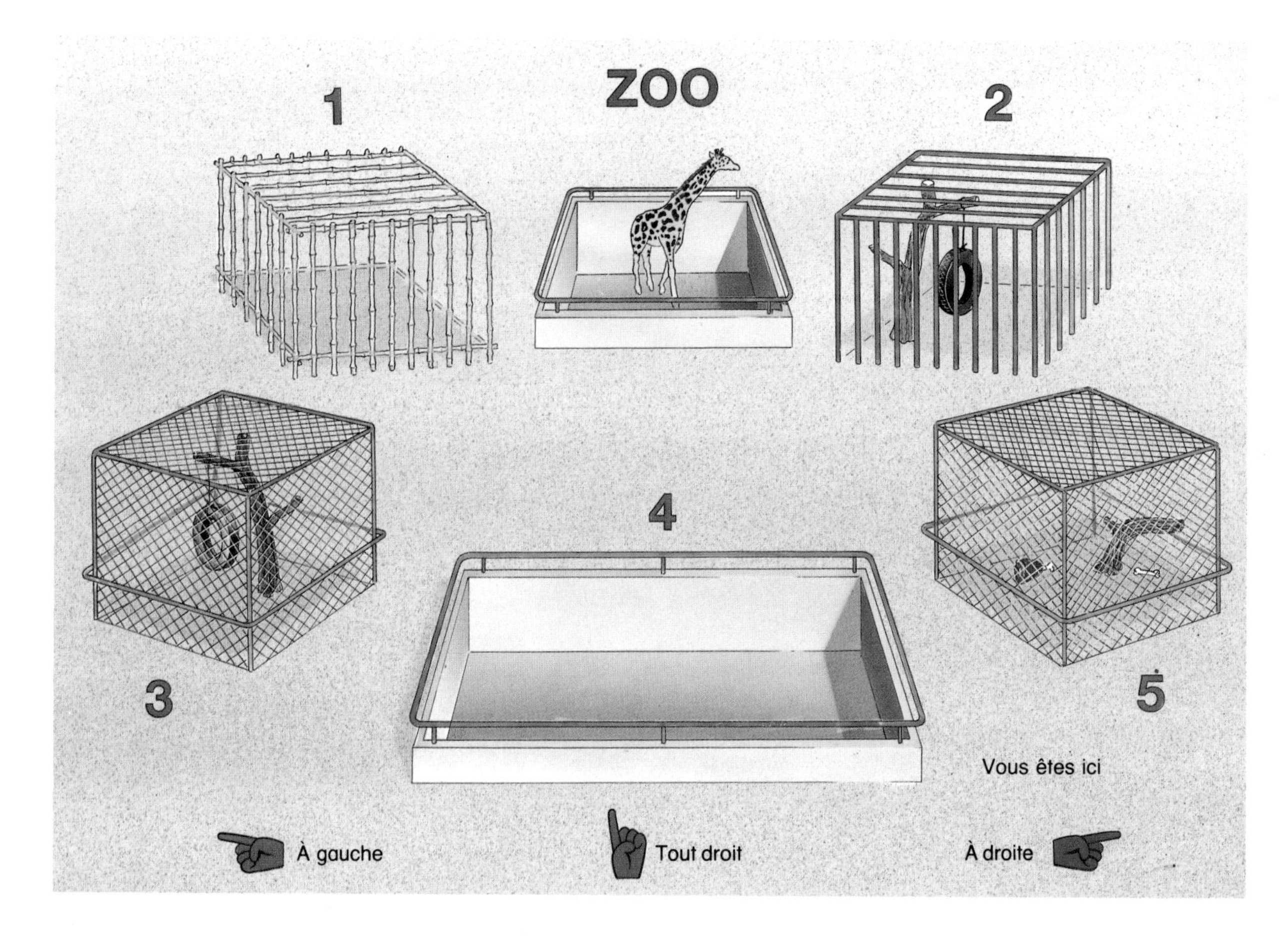

D *Ils risquent de disparaître*

1 Ces animaux sont tous menacés.
Ils risquent de disparaître.
Où habitent-ils?

2 Regardez le globe et écoutez la cassette.
Quel animal parle à chaque fois?

Animal 1 . . . . . .
Animal 2 . . . . . .
Animal 3 . . . . . .
Animal 4 . . . . . .

Copiez la liste dans votre cahier.
Que disent-ils?

E Protection nature

Écoutez la cassette.
Écrivez le nom de chaque animal sur votre transfert.
Regardez la liste pour vous aider:

LA PLANÈTE DES ANIMAUX

La planète des animaux – premier en géographie, c'est bien possible . . .
Offrez au futur écolier ce globe terrestre gonflable, amusant et instructif.

un crocodile

un singe

un hippopotame

un tigre

un gorille

un rhinocéros

un panda

un lion

Aide-Mémoire

ANIMAUX

Il y a . . . *There is, there are . . .*
Il y a . . . ? *Is there . . . ? Are there . . . ?*
une girafe *a giraffe*
un lion *a lion*
un gorille *a gorilla*
un singe *a monkey*
un panda *a panda*
un éléphant *an elephant*
un tigre *a tiger*
un rhinocéros *a rhinoceros*
un crocodile *a crocodile*
un ours *a bear*

PUZZLE

à droite *on the right→*
à gauche *on the left←*
tout droit *straight ahead ↑*

Cochez les noms mentionnés *Tick the names mentioned*
Regardez le transfert *Look at the photocopy master*
Entourez le nom *Circle the names*
Posez des questions *Ask questions*
Que veulent-ils dire? *What do they mean?*
Faites un sondage dans votre classe *Do a class survey*
Cherchez-les! *Look for them!*
Regardez les dessins pendant 15 secondes *Look at the drawings for 15 seconds*
Couvrez-les! *Cover them up!*

F Visitez le Zoo de la Palmyre

À vous maintenant!

Choisissez un(e) partenaire. Écoutez la cassette et regardez le plan.
★ Posez des questions et répondez.
Exemple:

Vous

Votre partenaire

À tour de rôle!

G Protégez-nous!

Voici quelques panneaux dans le safari.

★ Que veulent-ils dire?

Quel panneau?

Which sign is telling you . . .

- **a** not to feed the animals?
- **b** where to buy drinks and souvenirs?
- **c** not to buy ivory?
- **d** to help save the elephants?

Which sign is not mentioned above?
What does it mean? What does the sign opposite mean?

H Au pays des animaux familiers

Quel animal avez-vous à la maison?

1 Écoutez la cassette. Quels animaux ont-ils?

2 Écoutez encore une fois la cassette.
Le dessinateur a fait des fautes . . .

Écrivez le nom des personnes et le nom de leur animal.
Exemple:
Jean-Michel a un chien.

Écoutez la cassette.

Vrai ou Faux?

J

À vous maintenant!
Travaillez avec un(e) ami(e).
★ Faites un sondage dans votre classe.
Demandez: As-tu un . . . ?
As-tu une . . . ?

Écrivez les réponses.
Collez votre sondage au mur.

K Du côté des sciences

Qui va avec quoi?
Votre professeur de sciences a besoin d'aide!
Vous devez mettre les animaux dans la bonne catégorie.

1. Les oiseaux
2. Les mammifères
3. Les poissons
4. Les reptiles

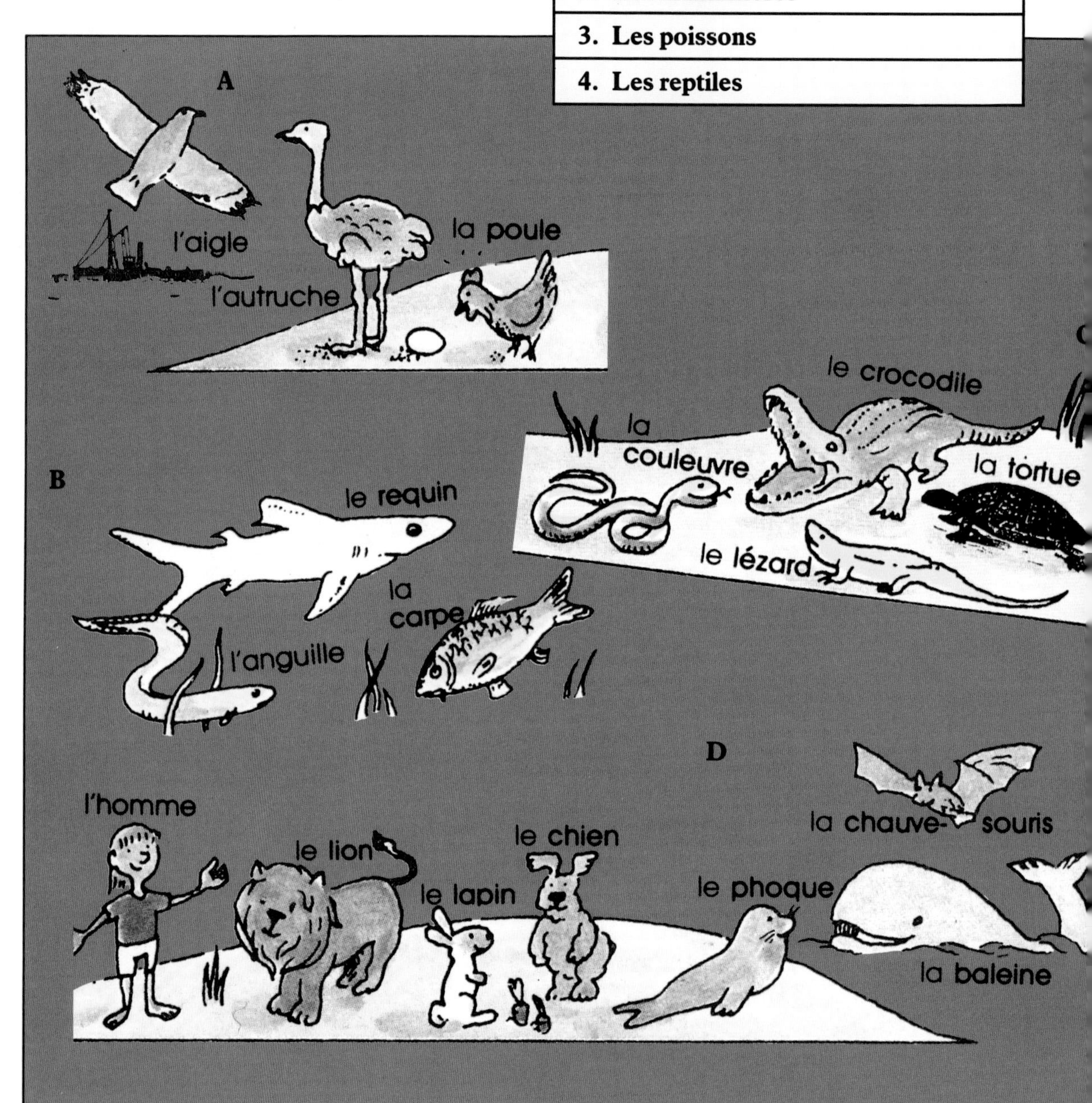

L

Écoutez.
Écoutez les bruits d'animaux et trouvez les animaux imités!
Faites correspondre chaque bruit au bon dessin.

Exemple:

1 = c. C'est le chat.

À vous maintenant!
Demandez à votre camarade d'imiter les bruits d'animaux.

Exemple:

Imitez le chien!

Aide-Mémoire

ANIMAUX FAMILIERS

Avez-vous un animal?
As-tu un animal?
Do you have a pet?

Quel animal avez-vous?
Quel animal as-tu?
What pet do you have?

J'ai un chat *I have a cat*
J'ai un chien *I have a dog*
J'ai un lapin *I have a rabbit*
J'ai un hamster *I have a hamster*
J'ai un poisson rouge *I have a goldfish*
J'ai une souris *I have a mouse*
J'ai un cochon d'Inde *I have a guinea pig*
J'ai un perroquet *I have a parrot*

Flash-Grammaire

Have you noticed that there are two words for 'a' in French: **un** and **une**. For example:

une souris = *a mouse*
un lapin = *a rabbit*

Do you have any suggestions as to why this is?
You've already guessed! It's all to do with masculine and feminine words.

un words are masculine
une words are feminine

Let's see if you can remember whether these animals are **un** or **une** words.

M Exercice à trous

a J'ai . . . chien.

b J'ai . . . perroquet.
c J'ai . . . souris.
d J'ai . . . chat.
e Moi, j'ai . . . girafe!
f Et bien moi, j'ai . . . éléphant!

g Et moi, j'ai . . . tigre!
h Euh moi, j'ai . . . crocodile!

Consultez votre Aide-Mémoire et écrivez encore cinq phrases. N'oubliez pas **un** ou **une**!

*info*CULTURE

L'HOROSCOPE CHINOIS

Savez-vous qu'il y a un horoscope-animaux?
C'est l'horoscope chinois.
Il y a douze animaux . . .

un singe

un rat

un dragon

un chat

un coq

un bœuf

un cheval

un serpent

un mouton

un chien

un tigre

un porc

N *Puzzle*

Les douze animaux sont tous dans ce tracmots.
★ Cherchez-les et écrivez-les dans votre cahier!

F	Z	O	B	B	P	Q	L	P	I
U	D	R	A	G	O	N	H	V	R
N	E	I	H	C	R	E	Q	A	E
V	T	K	S	H	C	S	U	W	L
S	E	R	P	E	N	T	R	F	I
X	J	Z	R	V	E	S	A	O	A
E	H	G	S	A	R	G	U	H	E
K	I	G	W	L	A	L	N	P	C
T	E	P	G	L	T	M	O	I	U
T	M	O	U	T	O	N	F	O	S

VOCAB*infos*

Détente

1 Lisez.
Quels sont les animaux qu'on peut découvrir?
(Il y en a quatre!)

Activités

OPERATION 'ADOPTION'

Donnez-leur une famille

1 Lisez et répondez aux questions.

À adopter:

1. Deux chiens (Bergers Allemands.)
   Trois chats tous vaccinés. Tél: 56.04.08.78 après cinq heures.
2. Superbes chatons Tonkinois élevés en famille.
   Tél: 31.42.55.56 de 11 heures à 15 heures.
3. Petit cheval origine Connémara très doux, 2 ans.
   Tél: 32.35.66.23, heures repas.
4. Petit chien gentil, marron clair et blanc. Tél: à partir de sept heures au 24.32.25.12.
5. Lapin blanc et gris répondant au nom de Grignon.
   Tél: 35.46.50.17.
6. Crocodile gentil et doux répondant au nom de Coco. Il a deux ans. Tél: 23.35.15.45, après les 14 heures.
7. Trois hamsters 'angora, poil court'. Cinq lapins nains. Huit cochons d'Inde. Tél: 23.31.43.52.
8. Deux chiots 2 mois setter Gordon nés le 22 juillet. Tél: 33.18.20.24, à partir de 17 heures.

2 À vous maintenant!

1. If you had to phone between 11 am and 3 pm, which animals would you be interested in? (See Module 11 for how to deal with time.)
2. Which animal answers to the name of Grignon?
3. Which animals were born in the month of July?
4. In one particular advertisement there are five animals to adopt. What are they?
5. Which animal is called Coco?
6. If you phoned the number 23.31.43.52, which three kinds of animals might you be interested in?
7. Which animal originates from Connemara?
8. Which animal is light brown and white?

*info*CULTURE

'Une opération adoption' is organised in France by the SPA (*Société Protectrice des Animaux*) every year around Christmas. It is hoped that some people who adopt these stray animals will eventually keep them and give them a home.

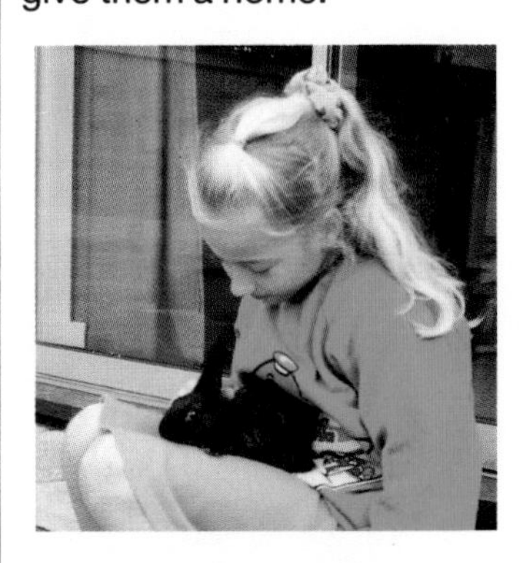

1. What is the English equivalent of the SPA?
2. Why do you think *opération adoption* takes place just before Christmas?

Testez votre mémoire

LE JEU DE KIM

Travaillez avec votre partenaire.

★Regardez les 21 dessins pendant 15 secondes. Couvrez-les!
Nommez tous les animaux.

Exemple: Il y a un singe, une girafe . . .

Où est chaque animal?
Regardez encore une fois les dessins.
Choisissez un animal et demandez:

Quel animal est à droite du . . . ?
Quel animal est à droite de la . . . ?
Quel animal est à gauche du . . . ?
Quel animal est à gauche de la . . . ?

Attention! N'oubliez pas:
 à droite du hamster
 à gauche de l'éléphant
 à droite de l'ours

Votre partenaire donne les réponses.

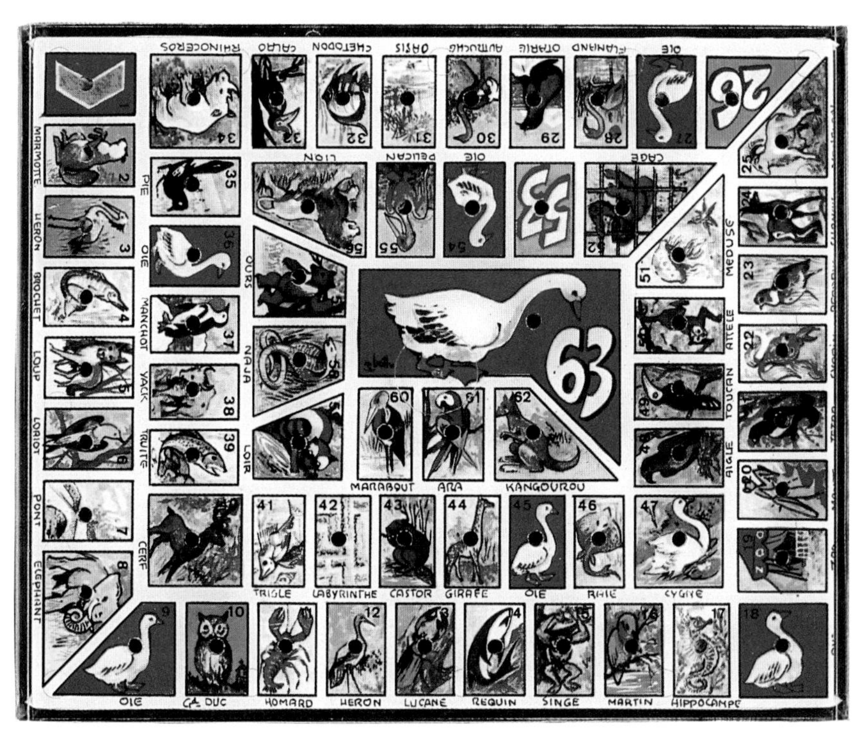

Le jeu de l'oie

Petites histoires drôles

POUR VOUS AIDER

Au pays des animaux *In the land of the animals*
une cassette qui explique la visite *a recording which gives a guided tour*
Ces animaux sont tous menacés *These animals are all threatened*
Ils risquent de disparaître *They are in danger of disappearing*
Quel animal parle à chaque fois? *Which animal is speaking each time?*
Voici quelques panneaux dans le safari *Here are some notices in the safari park*
Quel animal avez-vous à la maison? *Which animal do you have at home?*
Quels animaux ont-ils? *Which animal do they have?*
Le dessinateur a fait des fautes . . . *The designer has made some mistakes . . .*
Écrivez le nom des personnes et le nom de leur animal *Write the people's names and their animals' names*
Savez-vous qu'il y a un horoscope-animaux? *Did you know there was an animal horoscope?*
Les douze animaux sont tous dans ce tracmots *The twelve animals are all in this wordsearch*
Quels sont les animaux qu'on peut découvrir? *Which animals can you find here?*
Nommez tous les animaux *Name all the animals*
Un animal à adopter *Adopt an animal*
Choisissez un animal et demandez . . . *Choose an animal and ask . . .*
Votre partenaire donne les réponses *Your partner gives the replies*

C'EST TON PROFIL

Coche ce que tu as appris.

Maintenant je peux . . .	*bien*	*moyen*	*pas très bien*	Si tu es prêt, tu coches ☑ / Si tu ne peux pas, mets une croix ☒ et révise la page . . .
dire et comprendre: C'est mon père/ma mère, etc.	☐	☐	☐	**52**
demander: Tu as des frères et des sœurs?	☐	☐	☐	**59**
dire: J'ai un frère/une sœur Je suis fille/fils unique Je n'ai pas de frère . . .	☐	☐	☐	**59**
demander: Comment s'appelle ton frère? ta sœur?	☐	☐	☐	**64**
répondre: Il s'appelle/Elle s'appelle . . .	☐	☐	☐	**63**
regarder le plan du zoo et comprendre les animaux mentionnés	☐	☐	☐	**70**
parler de ma visite au zoo et dire: Il y a un singe un crocodile	☐	☐	☐	**74**
dire et comprendre: J'ai un chat/une tortue	☐	☐	☐	**76**
demander: As-tu un chien/un chat . . . ?	☐	☐	☐	**78**
donner les noms des douze animaux de l'horoscope chinois	☐	☐	☐	**81**
écrire une lettre pour me présenter, parler de ma famille et de mes animaux	☐	☐	☐	

ZOO

N'écrivez pas sur cette page

MODULE 10

Une pause jaune

Objectifs

How to recognise the days of the week and the months of the year

How to talk about your birthday

A *Bon anniversaire!*

Voici les mois de l'année.

Les mois de l'année

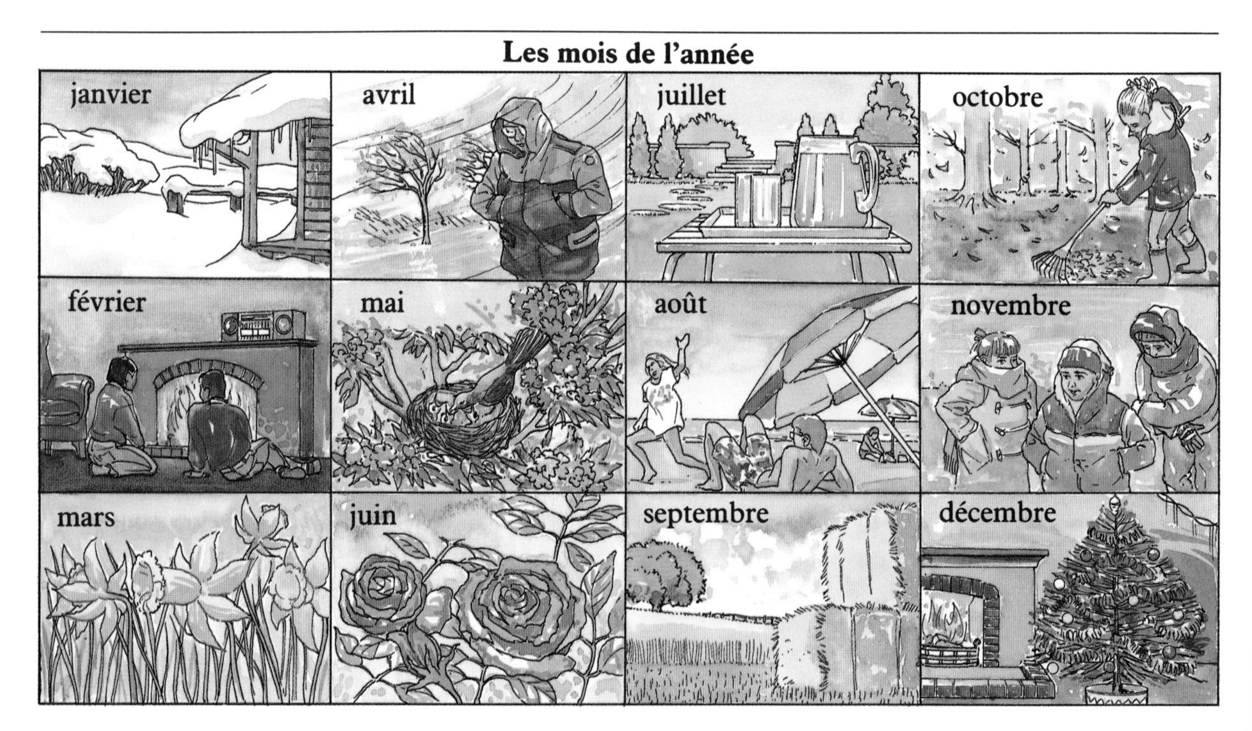

C'est l'anniversaire de qui?
Écoutez la cassette. Regardez le calendrier.
Écrivez le nom des personnes et la date de leur anniversaire.

	JANVIER		FÉVRIER		MARS		AVRIL		MAI		JUIN	
1	V	JOUR de l'AN	L	Se Ella	M	S. Aubin	V	S. Hugues	D	FÊTE du TRAV.	M	S. Justin
2	S	S. Basile	M	*Présentation*	M	S. Charles le B.	S	Se Sandrine	L	S. Boris	J	Se Blandine
3	D	Epiphanie	M	S. Blaise	J	S. Guénolé	D	PAQUES	M	SS. Phil. Jacq.	V	Se Kévin
4	L	S. Odilon	J	Se Véronique	V	S. Casimir	L	S. Isidore	M	S. Sylvain	S	Se Clotilde
5	M	S. Edouard	V	Se Agathe	S	S. Olive	M	Se Irène	J	Se Judith	D	Fête-Dieu
6	M	S. Melaine	S	S. Gaston	D	Se Colette	M	S. Marcellin	V	Se Prudence	L	S. Norbert
7	J	S. Raymond	D	Se Eugénie	L	Se Félicité	J	S.J.-B. de la S.	S	Se Gisèle	M	S. Gilber
8	V	S. Lucien	L	Se Jacqueline	M	S. Jean de D.	V	Se Julie	D	VIC. 45/F. J.-Arc	M	S. Médard
9	S	Se Alix	M	Se Apolline	M	Se Françoise	S	S. Gautier	L	S. Pacôme	J	Se Diane
10	D	S. Guillaume	M	S. Arnaud	J	S. Vivien	D	S. Fulbert	M	Se Solange	V	S. Landry
11	L	S. Paulin	J	*N.D. Lourdes*	V	Se Rosine	L	S. Stanislas	M	Se Estelle	S	S. Barnabé
12	M	Se Tatiana	V	S. Félix	S	Se Justine	M	Rameaux	J	S. Achille	D	S. Guy
13	M	Se Yvette	S	Se Béatrice	D	S. Rodrigue	M	Se Ida	V	Se Rolande	L	S. Antoine de P.
14	J	Se Nina	D	S. Valentin	L	Se Mathilde	J	S. Maxime	S	S. Matthias	M	S. Elisée
15	V	S. Remi	L	S. Claude	M	Se Louise	V	S. Paterne	D	Se Denise	M	Se Germaine
16	S	S. Marcel	M	Se Julienne	M	Se Bénédicte	S	S. Benoît-J.	L	S. Honoré	J	S. J.E. Régis
17	D	Se Roseline	M	S. Alexis	J	S. Patrice	D	S. Anicet	M	S. Pascal	V	S. Hervé
18	L	Se Prisca	J	Se Bernadette	V	S. Cyrille	L	S. Parfait	M	S. Eric	S	S. Léonce
19	M	S. Marius	V	S. Gabin	S	S. Joseph	M	Se Emma	V	S. Yves	D	S. Romuald
20	M	S. Sébastien	S	Se Aimée	D	S. Herbert	M	Se Odette	J	S. Bernardin	L	S. Silvère
21	J	Se Agnès	D	S. P. Damien	L	PRINTEMPS	J	S. Anselme	S	S. Constantin	M	ÉTÉ
22	V	S. Vincent	L	Se Isabelle	M	Se Léa	V	S. Alexandre	D	PENTECÔTE	M	S. Alban
23	S	S. Barnard	M	S. Lazare	M	S. Victorien	S	S. Georges	L	S. Didier	J	Se Audrey
24	D	S. Fr. de Sales	M	S. Modeste	J	Se Cath. de Su.	D	S. Fidèle	M	S. Donatien	V	S. Jean-Bapt.
25	L	*Conv. S. Paul*	J	S. Roméo	V	Annonciation	L	S. Marc	M	Se Sophie	S	S. Prosper
26	M	Se Paule	V	S. Nestor	S	Se Larissa	M	Se Alida	J	S. Bérenger	D	S. Anthelme
27	M	Se Angèle	S	Se Honorine	D	S. Habib	M	Se Zita	V	S. Augustin	L	S. Fernand
28	J	S. Th. d'Aquin	D	S. Romain	L	S. Gontran	J	Se Valérie	S	S. Germain	M	S. Irénée
29	V	S. Gildas	L	S. Auguste	M	Se Gwladys	V	Se Catherine	D	Fête des Mères	M	SS Pierre, Paul
30	S	Se Martine			M	S. Amédée	S	S. Robert	L	S. Ferdinand	J	S. Martial
31	D	Se Marcelle			J	S. Benjamin			M	*Visitation*		

Christophe
Caroline
Olivier
Chloé
Matthieu
Audrey

B

Quel jour tombe leur anniversaire?
Écoutez! Écrivez les noms. Notez la date et le jour.

Ali ....
Stéphanie ....
Claudette ....
Jean-Pierre ....
Marie-Laure ....

Une pause jaune

C

À vous maintenant!
Quelle est la date de votre anniversaire?
★ Révisez vos chiffres de 1 à 16 et apprenez les chiffres de 17 à 31.

Regardez ce tableau.
Écoutez la cassette pour vous aider!

1	un (premier)	11	onze	21	vingt et un
2	deux	12	douze	22	vingt-deux
3	trois	13	treize	23	vingt-trois
4	quatre	14	quatorze	24	vingt-quatre
5	cinq	15	quinze	25	vingt-cinq
6	six	16	seize	26	vingt-six
7	sept	17	dix-sept	27	vingt-sept
8	huit	18	dix-huit	28	vingt-huit
9	neuf	19	dix-neuf	29	vingt-neuf
10	dix	20	vingt	30	trente
				31	trente et un

D

1 Demandez les dates d'anniversaire de cinq membres de votre classe.
Écrivez leur nom et la date de leur anniversaire.
★ Échangez vos feuilles.

2 ★ Imitez ces personnages:

3 Voilà les signes du zodiaque.

Demandez les dates d'anniversaire de cinq membres de votre classe.
Quels sont leurs signes du zodiaque?

 **E**

Vous êtes fort en maths? Écoutez la cassette et donnez les réponses aux huit questions.

 **F**

Écoutez la cassette.
Regardez.

Écrivez les dates que vous entendez.
Copiez cette grille pour vos réponses.

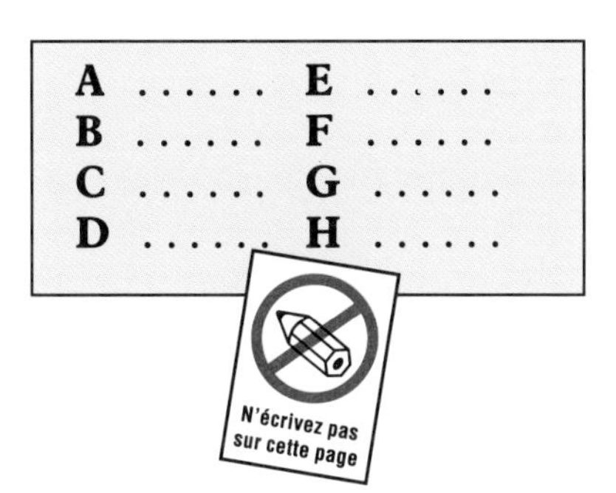

A	......	**E**	......
B	......	**F**	......
C	......	**G**	......
D	......	**H**	......

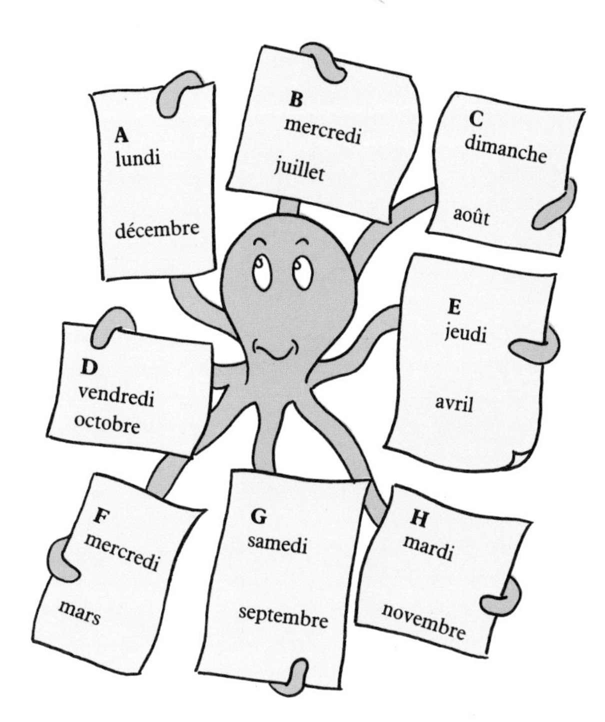

Le moral de la semaine!

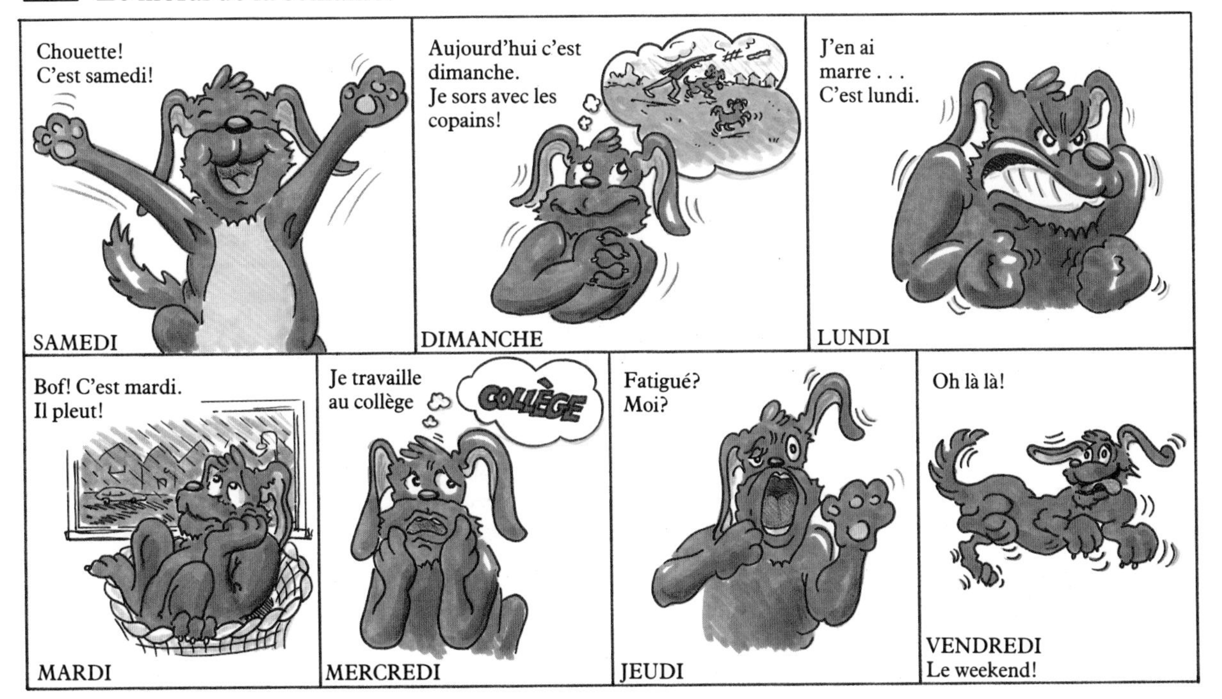

G

Quelle est la date d'aujourd'hui?

À vous maintenant!

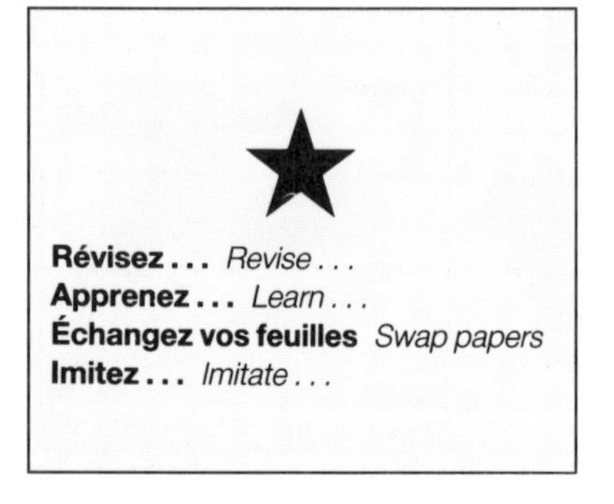

Révisez . . . *Revise . . .*
Apprenez . . . *Learn . . .*
Échangez vos feuilles *Swap papers*
Imitez . . . *Imitate . . .*

Flash-Grammaire

Did you notice that capital letters are not used with the days and months in French? For example:

lundi 12 avril *Monday 12th April*

To say the date in French, the normal numbers from 2 to 31 are used, but for the 1st of the month you must use the word **premier**. For example:

le premier janvier *the first of January*

Also, no word for 'on' is needed for the days of the week in French:

lundi . . . = *on Monday . . .*

If you are just writing the number plus the month, you need **le**:

le dix mai

If you add the name of the day, you don't need the **le**:

lundi dix mai

Aide-Mémoire

Quelle est la date de ton anniversaire? *When is your birthday?*
Quel jour tombe ton anniversaire? *What day is your birthday?*

Mon anniversaire c'est . . . *My birthday is . . .*
lundi *on Monday*
le douze mars *on the twelfth of March*

lundi *Monday*
mardi *Tuesday*
mercredi *Wednesday*
jeudi *Thursday*
vendredi *Friday*
samedi *Saturday*
dimanche *Sunday*

janvier *January*
février *February*
mars *March*
avril *April*
mai *May*
juin *June*
juillet *July*
août *August*
septembre *September*
octobre *October*
novembre *November*
décembre *December*

*info*CULTURE

LES FÊTES DE L'ANNÉE

En France, il y a onze jours fériés par an:

- le 1er janvier, le Jour de l'an
- le lundi de Pâques
- le 1er mai, Jour de la Fête du Travail
- le 8 mai, jour anniversaire de la Victoire de 1945
- un jeudi du mois de mai, le Jour de l'Ascension
- le lundi de Pentecôte
- le 14 juillet, Jour de la Fête Nationale
- le 15 août pour la Fête de l'Assomption
- le 1er novembre, Jour de la Toussaint
- le 11 novembre, jour anniversaire de l'Armistice de 1918
- le 25 décembre, Jour de Noël

How many of these public holidays do we have in Britain? Write a list of what occasions or festivals the French holidays celebrate.

H

Écoutez la cassette. Reconstituez ces trois notes déchirées.
Écrivez-les dans votre cahier.

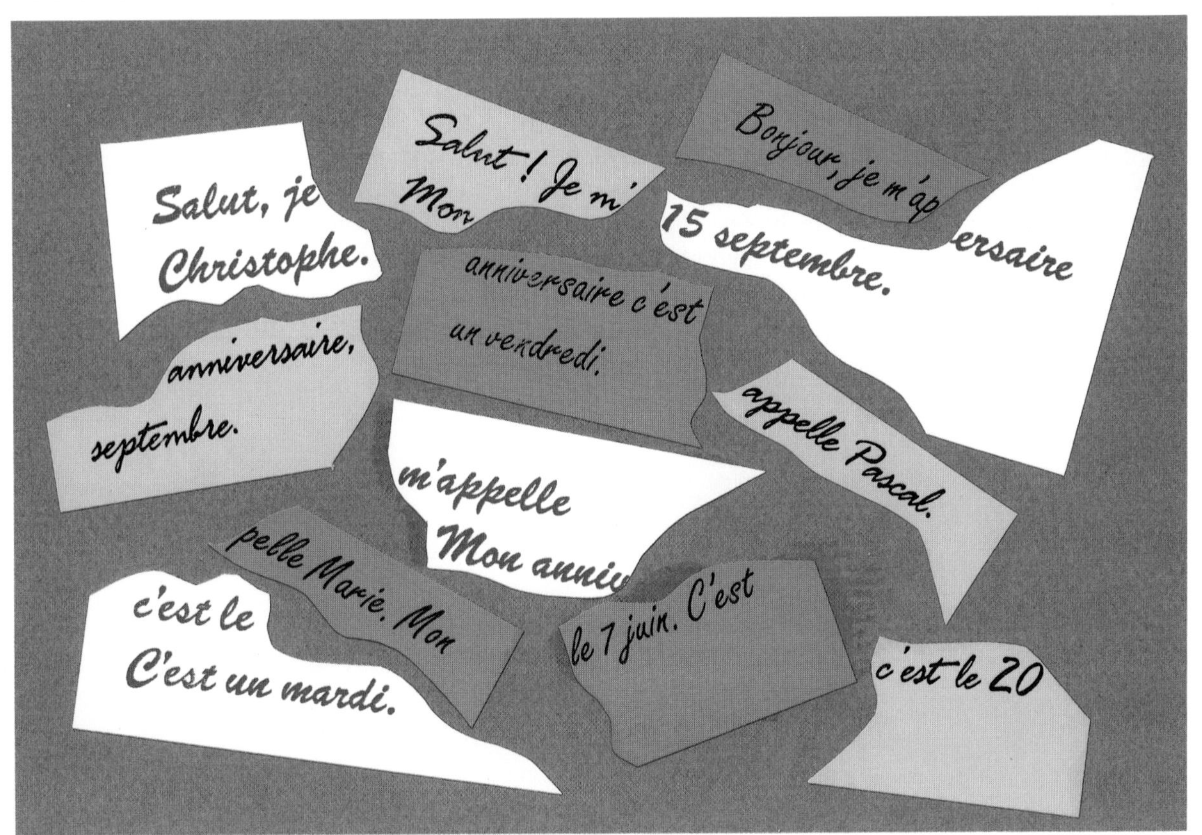

Testez votre mémoire

1 Faites une liste des mois et des jours de la semaine.

2 Testez votre mémoire avec votre partenaire. Donnez votre liste de vocabulaire à votre partenaire et demandez-lui de vous tester. Notez votre score!

POUR VOUS AIDER

Voici les mois de l'année *Here are the months of the year*
C'est l'anniversaire de qui? *Whose birthday is it?*
Demandez les dates d'anniversaire de cinq membres de votre classe *Find out the birthday dates of five people in your class*
Quels sont leurs signes du zodiaque? *What is their sign of the zodiac?*
Vous êtes fort en maths? *Are you any good at maths?*
Reconstituez ces trois notes déchirées *Put these three torn notes back together again*
Donnez votre liste de vocabulaire à votre partenaire *Give your word list to your partner*
Demandez-lui de vous tester *Ask him/her to test you*

MODULE 11 *Vous avez l'heure?*

Objectif *How to deal with time*

 **A**

Écoutez la cassette. Quelle heure est-il à chaque fois?

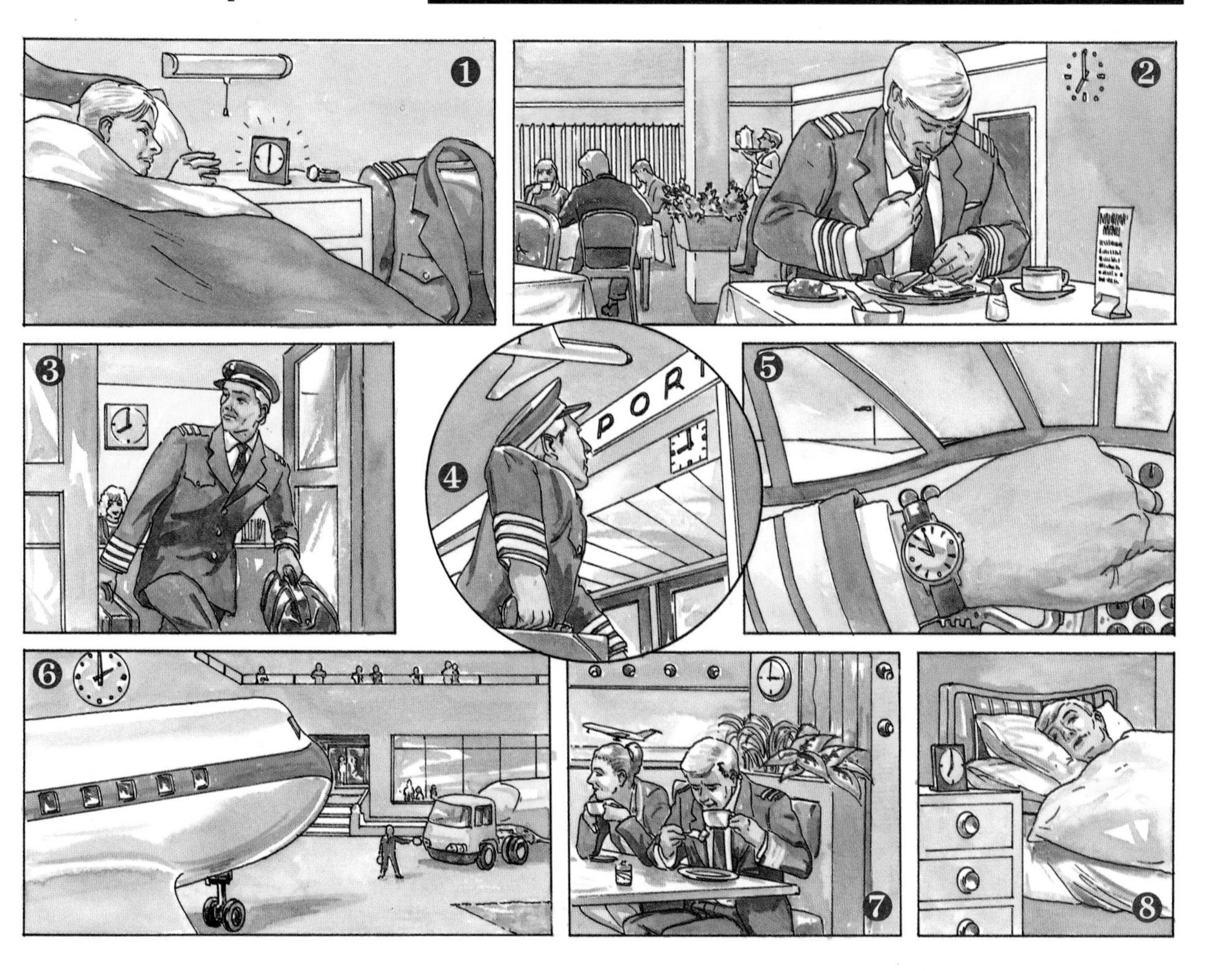

B

À vous maintenant!

Regardez les pendules. Quelle heure est-il?

Exemple:

A Il est trois heures.

D ?

B ?

E ?

C ?

F ?

C

Lisez.

En chiffres, écrivez l'heure dans votre cahier.

N'écrivez pas sur cette page

Exemple:

A

Il est deux heures.

B

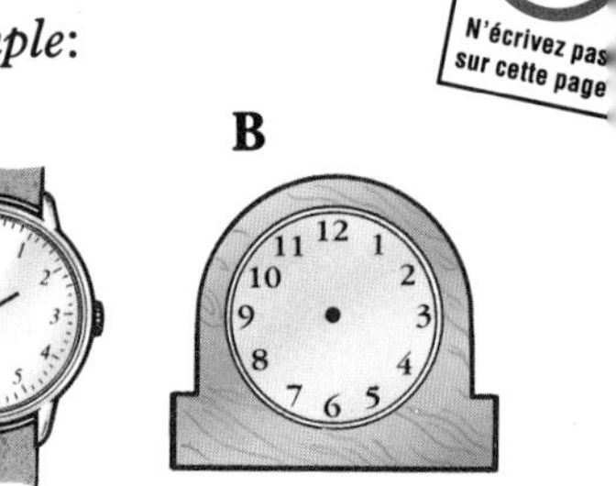

Il est midi et demi.

C

Il est dix heures.

D

Il est une heure et demie.

E

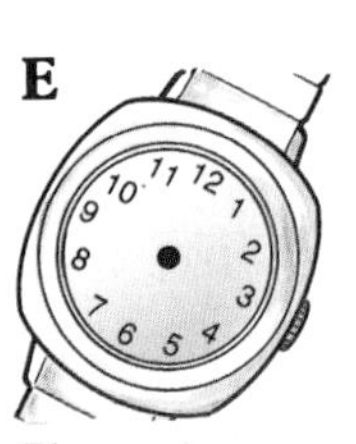

Il est cinq heures.

F

Il est minuit.

Aide-Mémoire

Vous avez l'heure, s'il vous plaît? *Do you have the time, please?*
Quelle heure est-il? *What time is it?*
Il est une heure *It is one o'clock*
Il est deux heures *It is two o'clock*
Il est trois heures *It is three o'clock*
Il est midi *It is twelve o'clock/midday*
Il est minuit *It is midnight*
Il est quatre heures et demie *It is half past four*

D

1 ★ Faites des recherches!
Quelle heure est-il dans le monde?

Faites des recherches! *Do some research!*
Regardez la carte! *Look at the map!*
Une page de lecture *A page of reading*
Cherchez les mots que vous connaissez *Look for the words you know*

Amérique

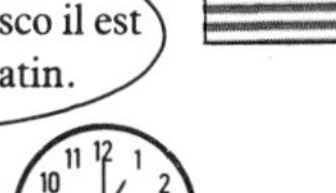

1. Ici à San Francisco il est une heure du matin.

Canada

2. Ici à Montréal il est quatre heures du matin.

Éthiopie

3. Ici à Addis Abéba il est onze heures.

Grande Bretagne

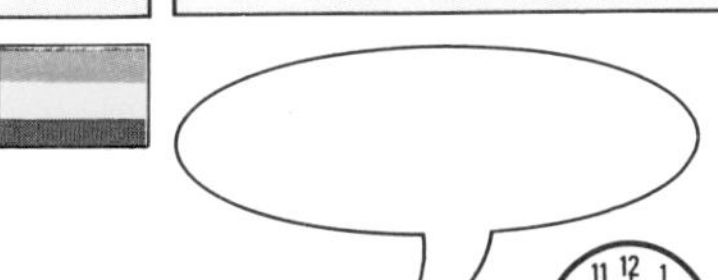

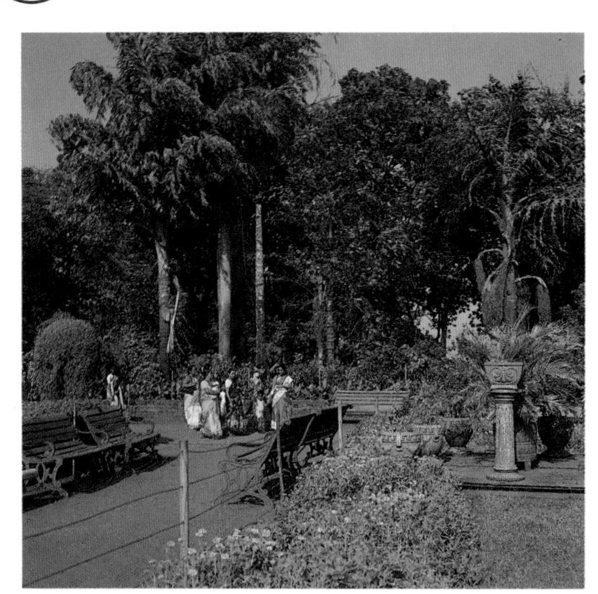

Inde

Australie

2 À vous maintenant!
Quelle heure est-il à . . . ?
4. Londres?
5. Bombay?
6. Sydney?

E *On se met à la bonne heure*

Écoutez les informations.
Quelle heure est-il maintenant dans d'autres pays?

Londres

Tokyo

Paris

Sydney

La Guadeloupe

Israël

F Des informations importantes pour pilotes et passagers

★ Regardez la carte! Quand il est midi à Londres, quelle heure est-il dans d'autres pays?

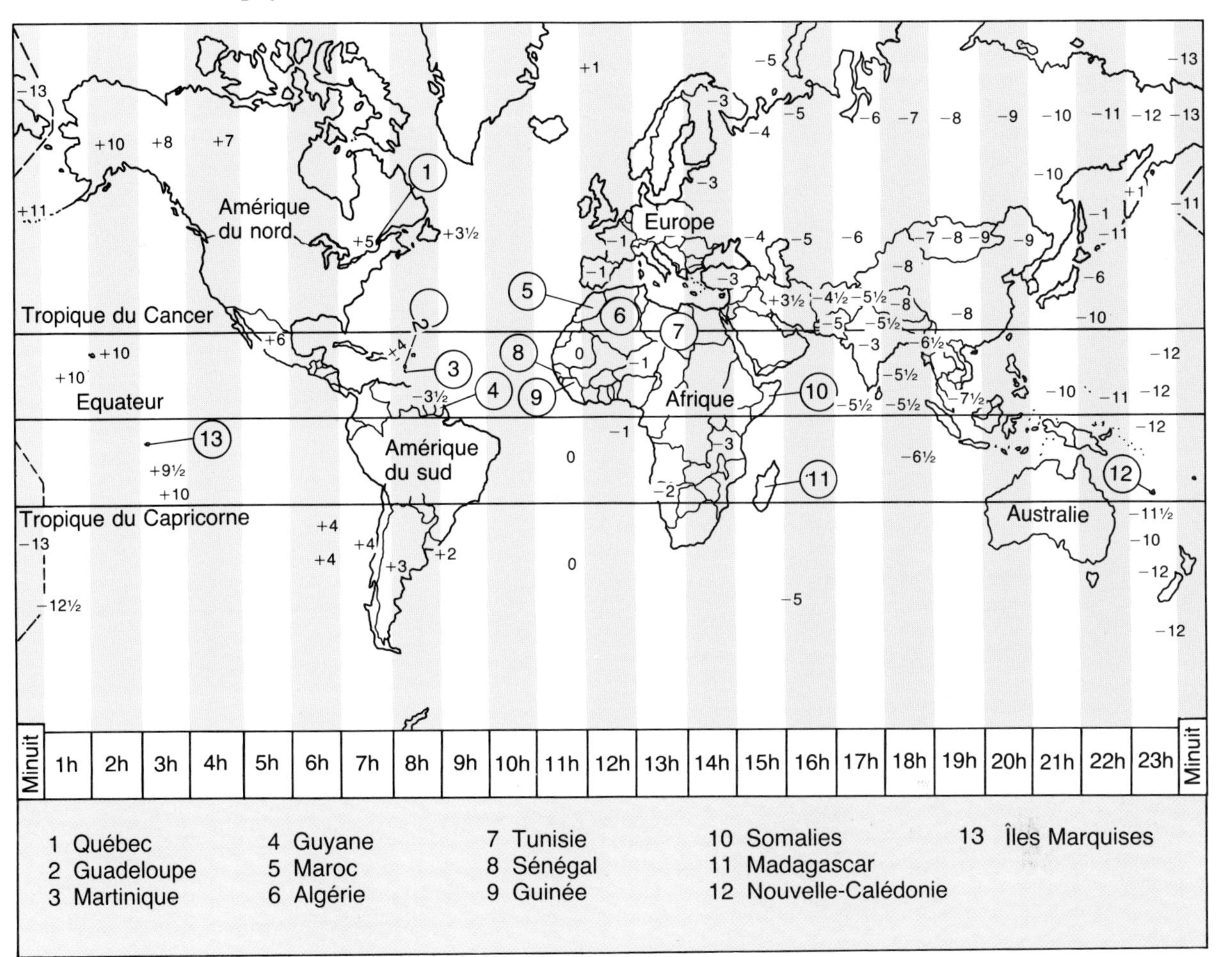

Travaillez avec un(e) partenaire.

Partenaire A	**Partenaire B**
Il est midi à Londres. Quelle heure est-il . . .	
1. au Québec	Il est huit heures
2. en Algérie	Il est . . . .
3. en Guinée	Il est . . . .
4. aux Somalies	
5. à Madagascar	
6. à la Guadeloupe	
7. aux Îles Marquises	
8. en Nouvelle-Calédonie?	

Une page de lecture

1.

2.

BIBLIOTHEQUE

Ouverture CDI
LUNDI 24 /09
HORAIRES
LUNDI : 9h30 → 10h20
10h30 → 11h30
13h ~~12h30~~ → 13h30
MARDI : ~~12h30~~ 13h → 13h30
Jeudi : 12h30 → 13h30
VENDREDI : 9h30 → 10h20
10h30 → 12h30
13h → 13h30

3.

LE RESTAURANT **LA MARGE**

EST OUVERT DE :

12h A 14h30 ET DE 20h A 22h30

FERME LE :

SAMEDI MIDI ET DIMANCHE TOUTE LA JOURNEE

tel : 42.59.06.63

4.

Regardez les panneaux. Qu'avez-vous compris?
★ Cherchez les mots que vous connaissez.
Remplissez cette grille!

5.

6.

Panneau 1 ....
Panneau 2 ....
Panneau 3 ....
Panneau 4 ....
Panneau 5 ....
Panneau 6 ....

N'écrivez pas sur cette grille

Copiez la grille dans votre cahier.

G *L'horloge parlante*

Écoutez la cassette.
Faites correspondre les six phrases aux dessins.

1.

2.

a Il est deux heures et quart.

b Il est deux heures moins le quart.

3.

4.

c Il est trois heures cinq.

d Il est trois heures moins cinq.

5.

6.

e Il est quatre heures vingt-cinq.

f Il est quatre heures moins vingt-cinq.

H

Travaillez avec votre partenaire.
En secret, écrivez cinq heures différentes.

Exemple: 3.15, 2.50, 4.30, 6.00, etc.
Lisez-les à haute voix.
Votre partenaire écrit l'heure en chiffres.
À tour de rôle!

I Quiz

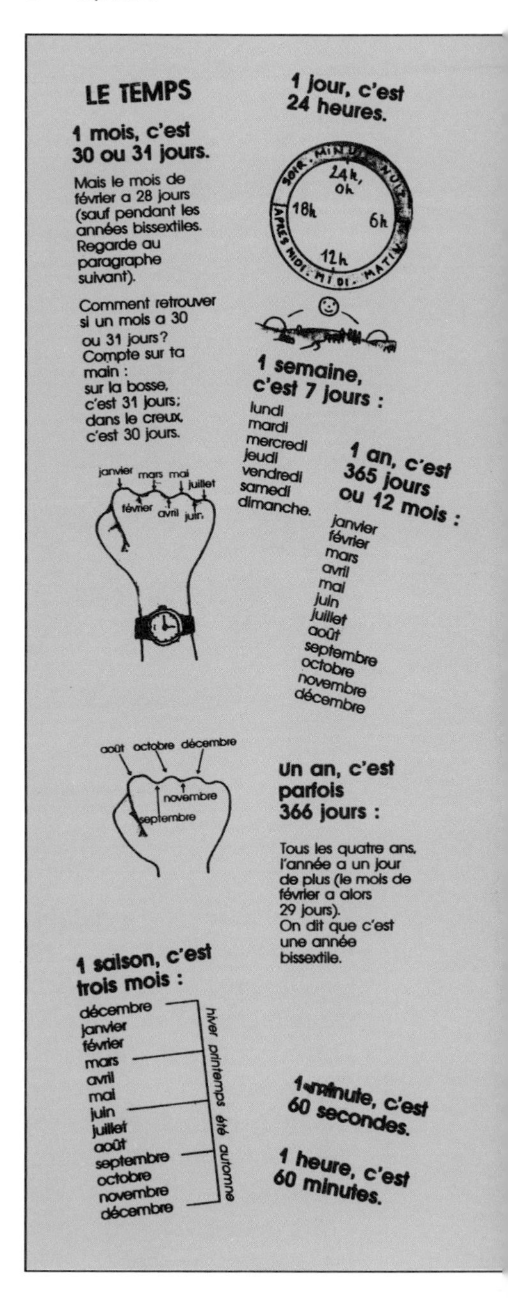

1. Using your hand how can you tell which months have 30 days and which have 31?
2. Which months make up the four seasons?
3. Can you write out the names of the four seasons in French?

Testez votre mémoire

1 Écoutez la cassette.
Le programme change!

9.10 Rendez-vous avec Dominique
10.00 Les cyclistes arrivent
12.30 Pique-nique
2.15 Rendez-vous au zoo
6.40 Cinéma

Corrigez le programme. Écrivez la bonne heure dans votre cahier.

2 Travaillez avec votre partenaire.
Dites-les rapidement!

2.00	3.00	4.15	4.30	4.45	midday
5.05	5.25	5.30	5.45	5.50	half past midday

POUR VOUS AIDER

Quelle heure est-il à chaque fois? *What time is it each time?*
Regardez les pendules *Look at the clocks*
Quelle heure est-il dans le monde? *What's the time around the world?*
On se met à la bonne heure *Getting the time right*
Des informations importantes pour pilotes et passagers *Important information for pilots and passengers*
Quand il est midi à Londres, quelle heure est-il dans d'autres pays? *When it is midday in London what time is it in other countries?*
L'horloge parlante *The Speaking Clock*
Votre partenaire écrit l'heure en chiffres *Your partner writes the time in numbers*
Le programme change! *The programme changes!*
Corrigez le programme *Correct the programme*
Écrivez la bonne heure dans votre cahier *Write the correct time in your exercise book*

MODULE 12

Bon anniversaire!

Objectif *How to talk about what you do on your birthday*

Je t'attends le ..9/06/90......
à .14h30 heures
mon adresse .24 rue des Acacias
..92160 . Sceaux..........
CHLOÉ 41-51-33-61
Réponds-moi vite
s'il te plaît

Comment fêtez-vous votre anniversaire? Que faites-vous?

A *Écoutez ces jeunes*

Où vont-ils?

1. au cinéma
2. à la maison

3. au restaurant McDo

4. au concert pop

5. en boîte

6. à la boum

7. au restaurant
8. écouter des disques

B ★ *Qui dit quoi?*

Écoutez la cassette.
Faites correspondre les prénoms aux activités.

Exemple: 1 + f.

1. Christophe
2. Matthieu
3. Julien
4. Karine
5. Arnaud
6. Corinne

1. Christophe

2. Matthieu

3. Julien

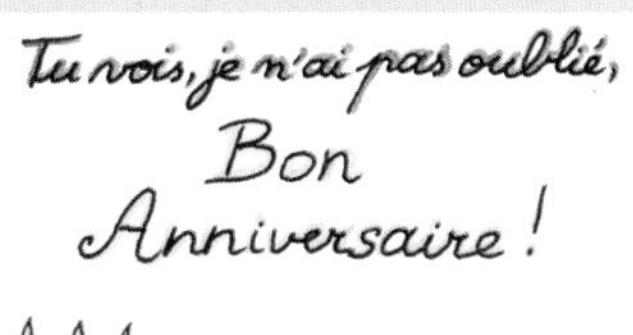

4. Karine

5. Arnaud

6. Corinne

a

b

c

d

e

f

C

Écrivez.
C'est votre anniversaire et vous organisez une boum.
Envoyez votre carte d'invitation.

Aide-Mémoire

Comment fêtez-vous votre anniversaire?
Comment fêtes-tu ton anniversaire?
How do you celebrate your birthday?

Que faites-vous le jour de votre anniversaire?
Que fais-tu le jour de ton anniversaire?
What do you do on your birthday?

Je vais au cinéma *I go to the cinema*
Je vais au McDo *I go to McDonald's*
Je vais à la piscine *I go to the swimming pool*
Je vais au concert *I go to a concert*
Je vais au restaurant *I go to a restaurant*
Je vais au théâtre *I go to the theatre*
Je vais en boîte *I go to the disco*
Je reste à la maison *I stay at home*
J'écoute des disques *I listen to records*
Je regarde la télévision *I watch television*
J'organise une boum à la maison *I have a party at home*
. . . avec ma famille *with my family*
. . . avec mes camarades *with my friends*
. . . avec mes parents *with my parents*

Qui dit quoi? *Who says what?*
Choisissez une activité *Choose an activity*
Faites un sondage *Do a survey*
Collez les résultats au mur *Stick the results on the wall*

Une page de cuisine

Bon anniversaire!

Fais un super gâteau!

Il te faut:

- des biscuits à la cuillère

- du chocolat

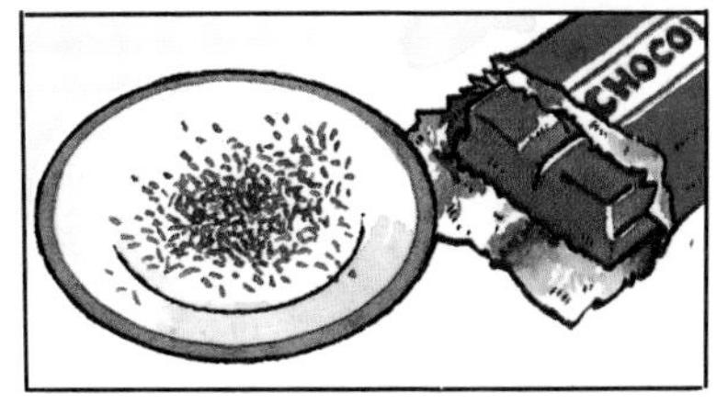

- de la crème chantilly

- un moule à gâteaux

- de la confiture

- des bougies

Recette:

1 Tu mets les biscuits dans un moule.

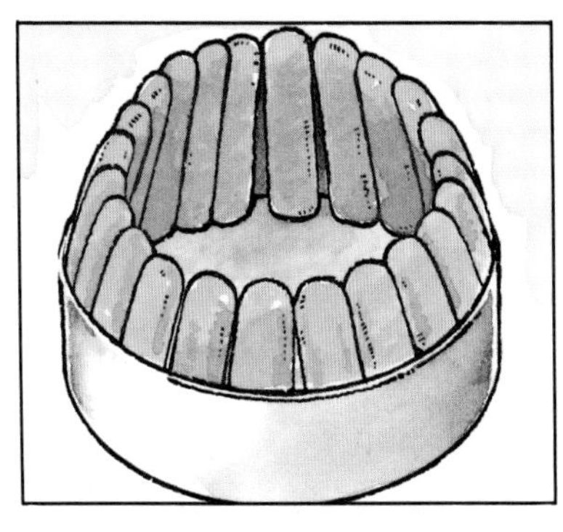

2 Tu décores ton gâteau avec de la crème chantilly et de la confiture.

3 Et si tu es un(e) gourmand(e) tu ajoutes du chocolat. C'est simple et bien bon!

4 N'oublie pas les bougies . . . C'est magique!

D *Que faire pour son anniversaire?*

1 Parlez.
★ Choisissez une activité.
Travaillez avec votre camarade.

Partenaire A	**Partenaire B**
Que fais-tu pour ton anniversaire?	Je vais au ciné.

À tour de rôle!

2 ★ Maintenant, en classe, faites un sondage. Collez les résultats au mur.

Activités

1. Je vais au restaurant McDo.

2. Je vais à la piscine.

3. Je reste à la maison.

4. Je vais au théâtre.

5. Je regarde la télé.

6. J'écoute des disques.

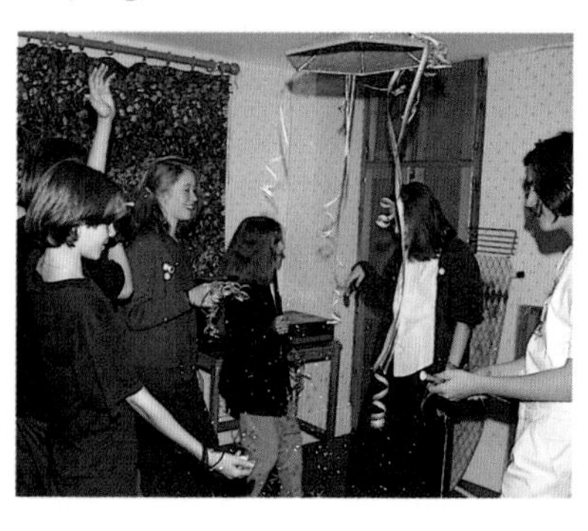
7. J'organise une boum.

8. Je vais en boîte.

9. Je sors avec des ami(e)s.

Testez votre mémoire

1 Pour faire un super gâteau il vous faut:

un moule

et

a ....

b ....

c ....

d ....

e ....

?? du ?? de la ?? des ??

2 Que faites-vous le jour de votre anniversaire?

N'écrivez pas sur cette page

Je vais

a ....

b ....

c ....

d ....

e ....

f ....

ou je reste .... maison!

?? à la ?? au ??

Flash-Grammaire

In French there are two words which are used for 'to' or 'at'.
You have to say **au** in front of masculine words, e.g.

Je vais **au** cinéma *I am going to the cinema*

and **à la** in front of feminine words, e.g.

Je vais **à la** piscine *I am going to the swimming pool*

POUR VOUS AIDER

Écoutez ces jeunes *Listen to these young people*
Faites correspondre les prénoms et les activités *Match up the first names and the activities*
Vous organisez une boum *You are organising a party*
Envoyez votre carte d'invitation *Send your invitation*
Une page de cuisine *A cookery page*
Fais un super gâteau! *Make a super cake!*
Il te faut . . . *You need . . .*
Que faire pour son anniversaire? *What to do on your birthday?*

MODULE 13 *Que va-t-on acheter pour la boum?*

Objectif *How to talk about buying food for a party*

A

Olivier et Caroline organisent une boum à la maison.
Ils se téléphonent pour se dire ce qu'ils vont acheter.

Écoutez leur conversation:

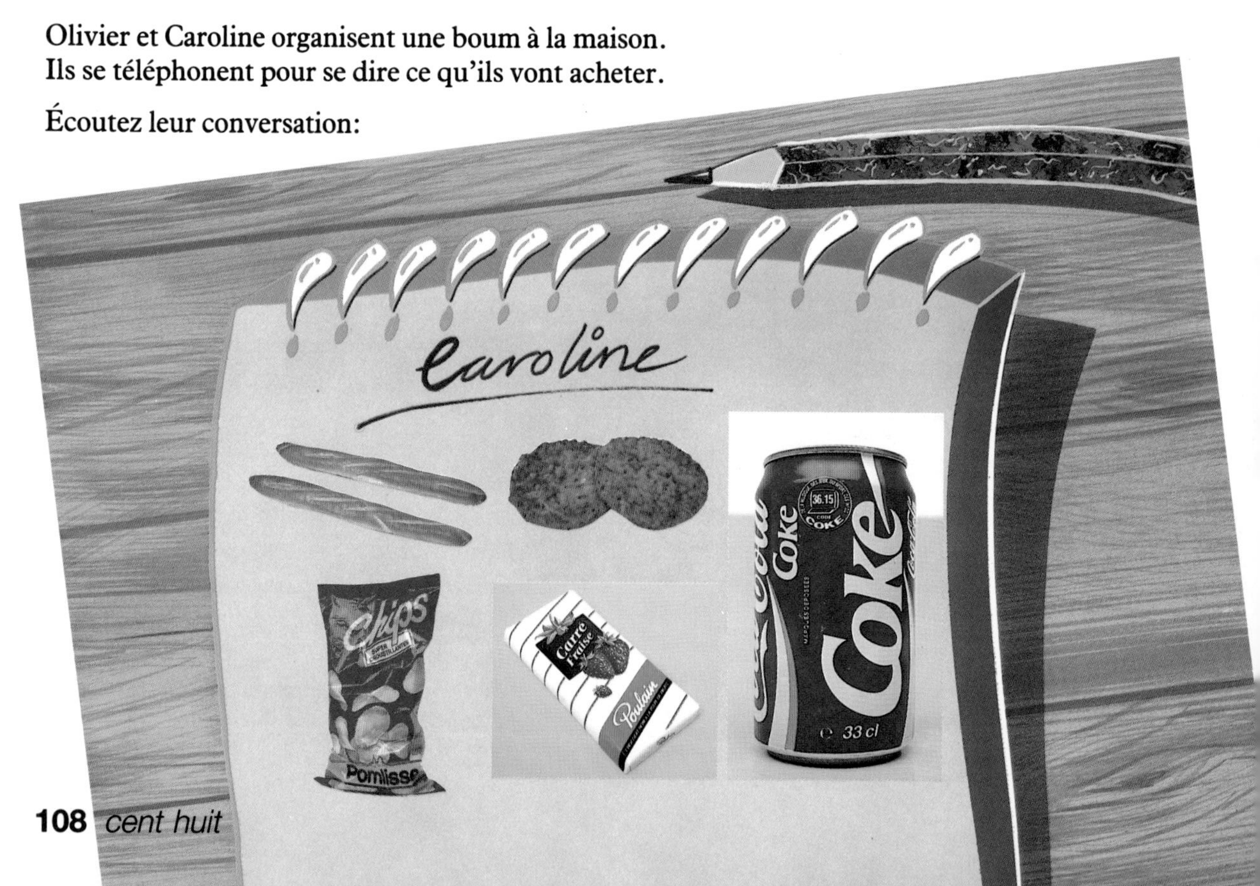

B

Écoutez encore une fois.
Que vont-ils acheter?
★ Complétez la liste!

C

Maintenant à vous!
Parlez avec votre camarade.
Vous organisez une boum. Voici vos listes de provisions.

Partenaire A

★ Demandez à votre partenaire:
Que vas-tu acheter?

Partenaire B

★ Répondez à votre partenaire:
Je vais acheter . . .

D *Le puzzle des provisions*

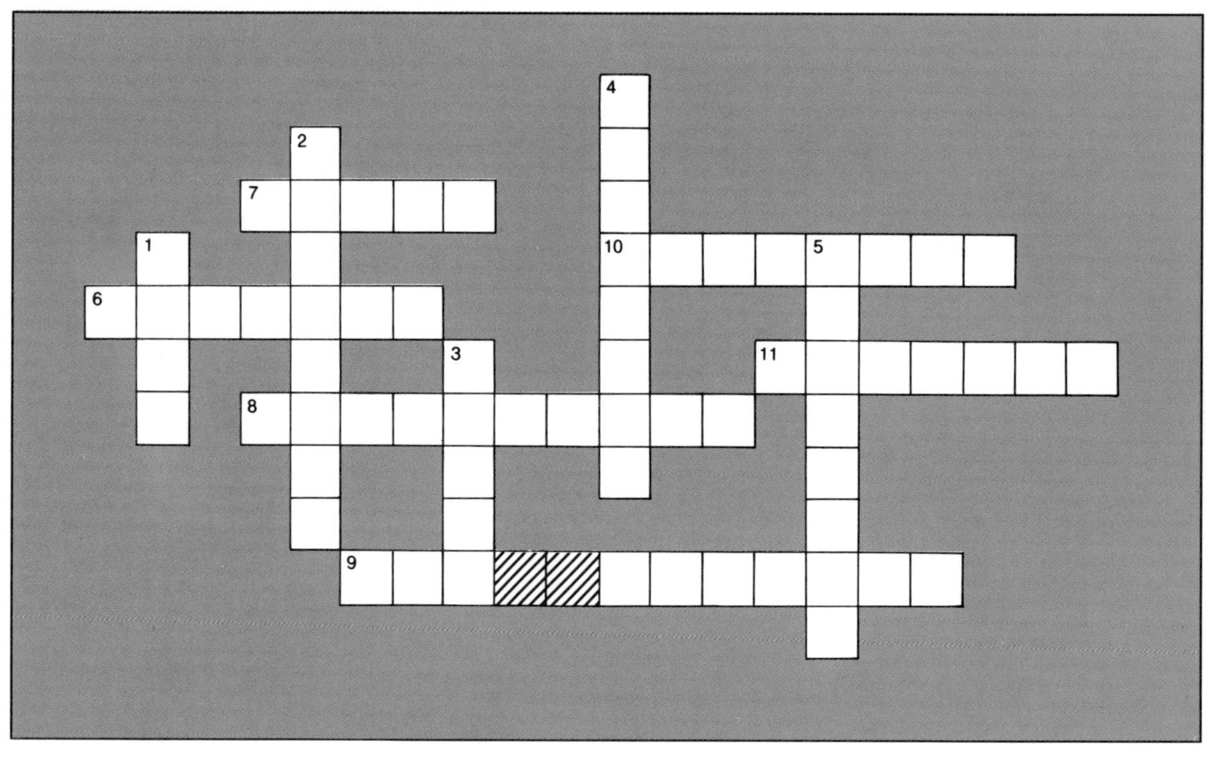

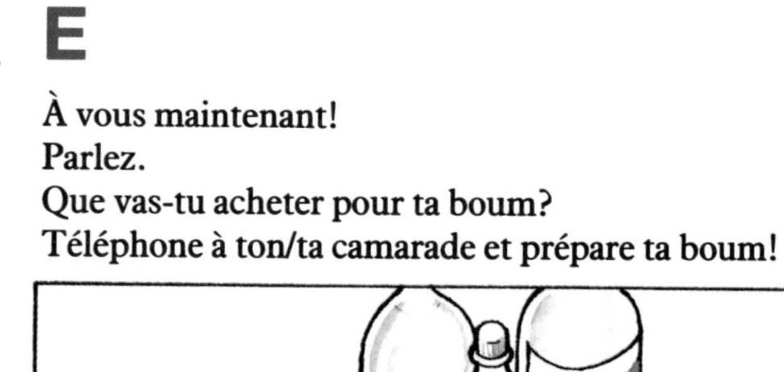

E

À vous maintenant!
Parlez.
Que vas-tu acheter pour ta boum?
Téléphone à ton/ta camarade et prépare ta boum!

Aide-Mémoire

Qu'allez-vous acheter?
Que vas-tu acheter? } *What are you going to buy?*
Je vais acheter . . . *I'm going to buy . . .*
du coca *some Coca-Cola*
de la limonade *some lemonade*
de l'Orangina *some fizzy orange*
du jus d'orange *some orange juice*
des chips *some crisps*
des pizzas *some pizzas*
des cacahuètes *some peanuts*
des biscuits *some biscuits*
des baguettes *some French loaves*
des gâteaux *some cakes*
des bonbons *some sweets*
du chocolat *some chocolate*

Complétez la liste! *Complete the list!*
Demandez à votre partenaire *Ask your partner*
Répondez à votre partenaire *Answer your partner*

Flash-Grammaire

JOUONS AVEC DU, DE LA, DES

When you're asking for food and drink such as chips, Coca-Cola, lemonade etc. in English, you use the words 'some' or 'any', e.g.

In French, there are four special words which are used to mean 'some' or 'any'.
You say **du** for masculine words, e.g.
du Coca-Cola
de la for feminine words, e.g.
de la limonade
de l' for words beginning with a vowel **(a, e, i, o, u)**, e.g.
de l'Orangina
and you use **des** for more than one item, e.g.
des frites

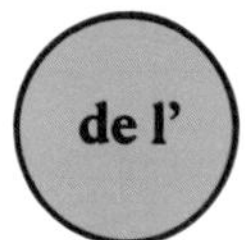

Mettez le bon mot!
Écrivez les phrases dans votre cahier.

1. Je prends ▲ café.
2. Donnez-moi ☆ limonade.
3. Je voudrais ● Orangina.
4. Tu prends □ frites?
5. Non, je préfère □ chips!
6. Je voudrais ▲ chocolat.
7. Avez-vous □ hamburgers?
8. Je prends ☆ salade.
9. Tu as □ cacahuètes? Super!

Que va-t-on acheter pour la boum?

F

Voici votre liste . . . Oh, zut!
Il pleut!

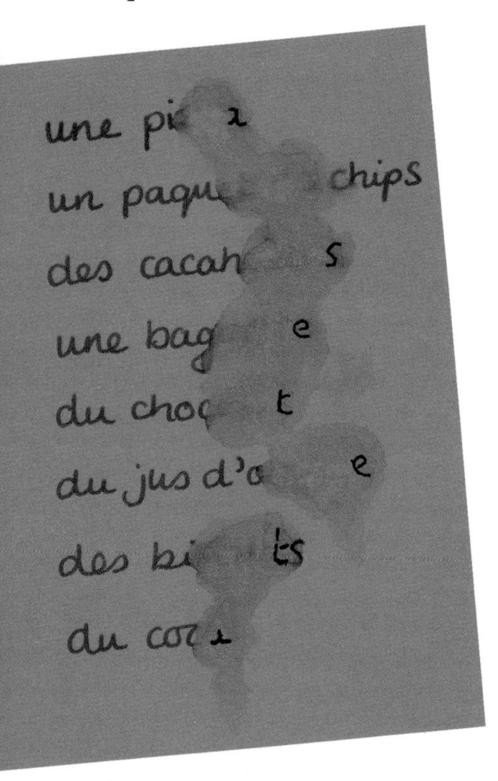

Écrivez la liste dans votre cahier.

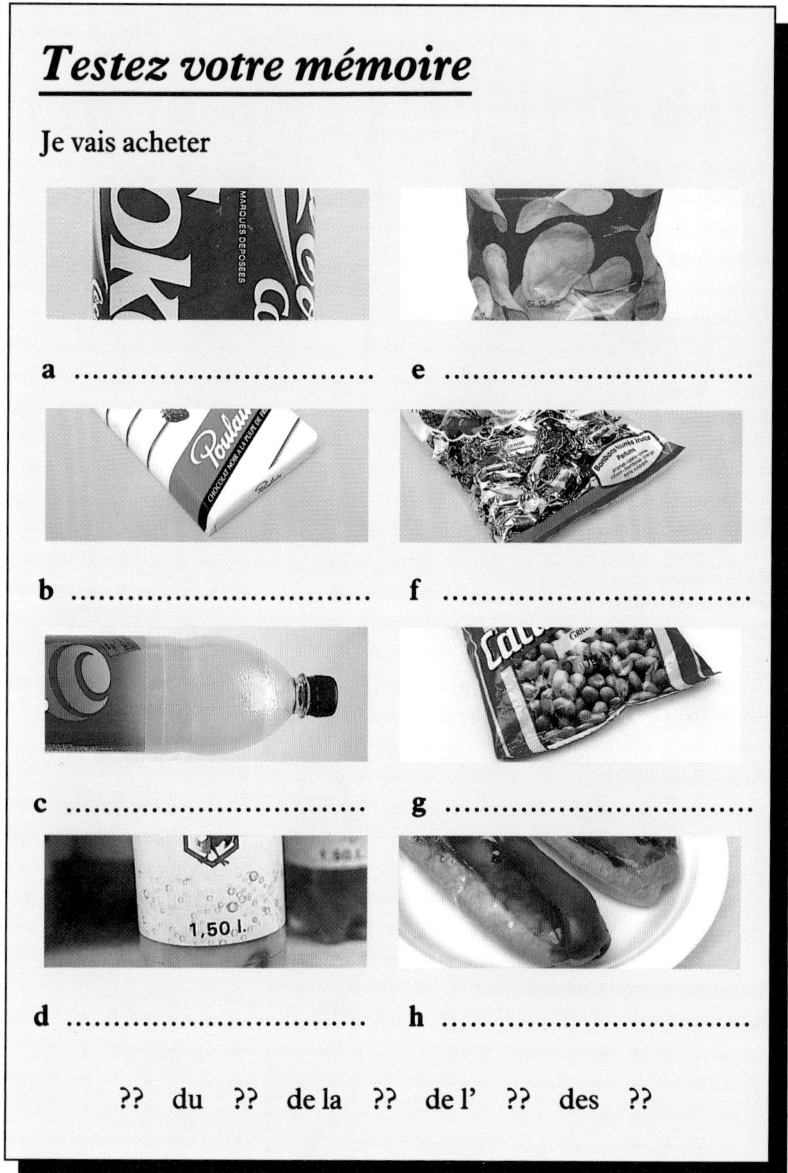

POUR VOUS AIDER

Que va-t-on acheter pour la boum? *What shall we buy for the party?*
Olivier et Caroline organisent une boum à la maison *Olivier and Caroline are organising a party at home*
Ils se téléphonent pour se dire ce qu'ils vont acheter *They phone to tell each other what they are going to buy*
Que vont-ils acheter? *What are they going to buy?*
Voici vos listes de provisions *Here are your shopping lists*
Téléphone à ton/ta camarade et prépare ta boum! *Phone your friend and prepare your party!*
Il pleut! *It's raining!*

C'EST TON PROFIL

Coche ce que tu as appris.

Maintenant je peux . . .	Si tu es prêt, tu coches ☑ *bien*	*moyen*	*pas très bien*	Si tu ne peux pas, mets une croix ☒ et révise la page . . .
donner et comprendre les mois de l'année	☐	☐	☐	86
donner et comprendre la date	☐	☐	☐	87
dire 'C'est quand ton anniversaire?'	☐	☐	☐	88
répondre 'Mon anniversaire c'est le . . .' + mois	☐	☐	☐	88
compter de l à 31	☐	☐	☐	89
demander 'Vous avez l'heure/ Tu as l'heure?'	☐	☐	☐	93
donner l'heure	☐	☐	☐	94
dire comment je fête mon anniversaire: Je vais au cinéma Je vais au restaurant, etc.	☐	☐	☐	102
comprendre 'Que fais-tu pour ton anniversaire?'	☐	☐	☐	106
demander 'Que vas-tu acheter pour ton anniversaire?'	☐	☐	☐	109
dire 'Je vais acheter du coca des chips', etc.	☐	☐	☐	109
écrire une carte d'invitation	☐	☐	☐	104

N'écrivez pas sur cette page

MODULE 14

Conseils piétons!

Objectif *How to be safe in the street in France*

A *La ville et vous: les petits piétons*

Écoutez et regardez cette rue.
Quels sont les huit dangers?
Que vous dit-on?

ATTENTION!

DANGER!

B *Soyez ami avec la rue!*

Identifiez les panneaux en ville.

Exemple: 1 = **h**
2 =
3 =

1. SORTIE DE GARAGE
2. FEUX A 100 METRES
3. Passage clouté piétons
4. ATTENDEZ / TRAVERSEZ
5. Traversez au signal sonore
6. Appuyez sur le bouton et attendez
7. RUE PIÉTONNE
8. Regardez à gauche et à droite avant de traverser

a Push button and wait.

b Look left and right before crossing.

c Traffic lights 100 metres.

d WAIT CROSS

e Pedestrian crossing.

f Cross when you hear the signal.

g Pedestrian street.

h Garage exit.

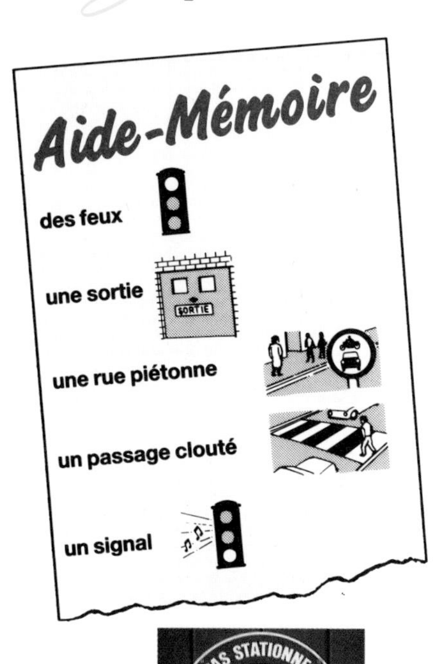

 **C**

Quel conseil va avec quel dessin?
Écoutez les conseils!

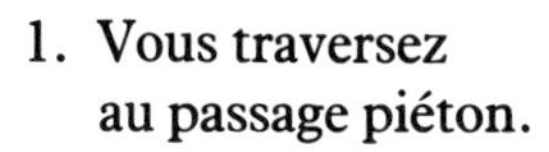

1. Vous traversez au passage piéton. **a**

2. Vous attendez le petit bonhomme vert avant de traverser. **b**

3. Vous regardez à gauche, puis à droite. **c**

4. Vous marchez sur le trottoir et pas dans la rue! **d**

5. Soyez prudent à un carrefour. **e**

★

Demandez les bonnes réponses à votre professeur *Ask your teacher for the right answers*

Êtes-vous prêt à vous débrouiller en ville? Notez votre score!

4–5 Vous connaissez les dangers. Allez en ville.
2–3 Vous êtes en danger! Ne sortez pas!

*info*CULTURE

French children of all ages love reading magazines. As well as being colourful and fun to read, some of the magazines are also full of useful information and interesting facts.

Astrapi, *Okapi*, *Salut!*, *OK!*, and *Podium* are some of the more popular magazines for French youngsters.

This is part of a poster produced by a magazine on behalf of *La Prévention Routière* – a French road safety campaign similar to the Green Cross Code in Britain. Do you always follow this road safety advice?

D *Conseils pour petits piétons*

Lisez et écoutez!
Vroom, vrooooom . . . attention, petit piéton!

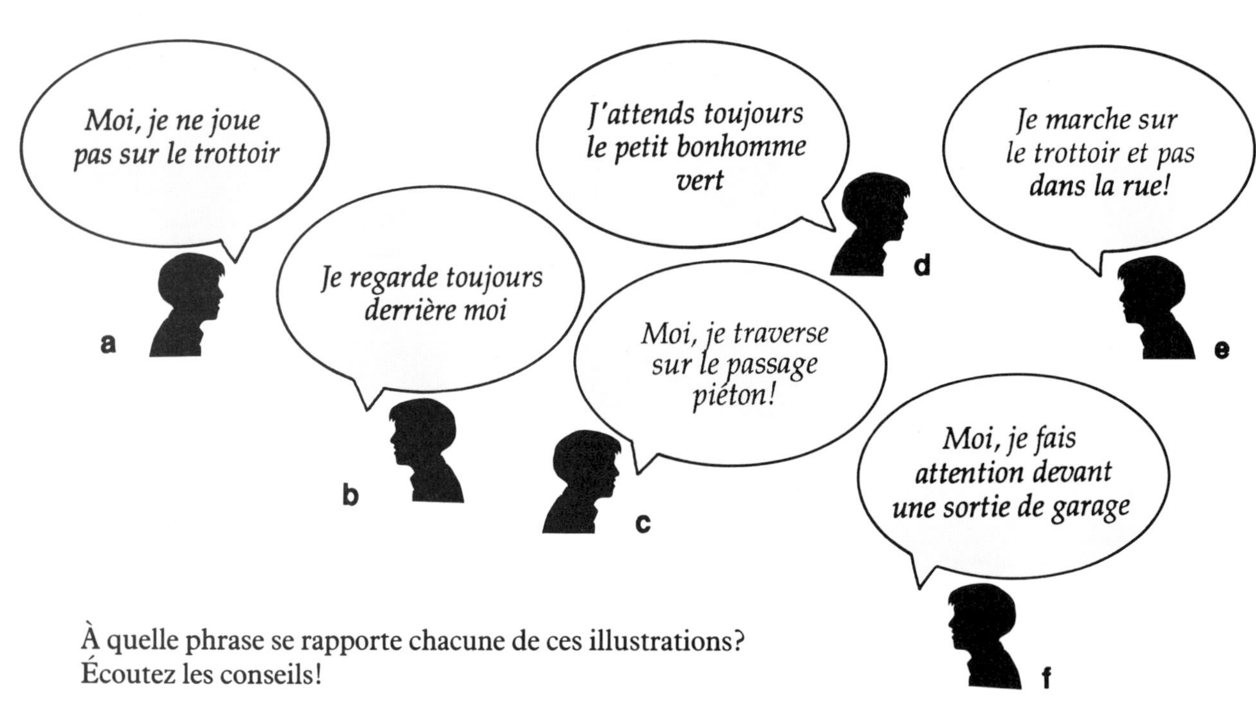

À quelle phrase se rapporte chacune de ces illustrations?
Écoutez les conseils!

E

Vous êtes prêt pour votre permis piéton?
À vous maintenant.
Lisez votre code piéton et, dans votre cahier, écrivez Vrai ou Faux pour chaque dessin.

★ Demandez les bonnes réponses à votre professeur.

1. Tu marches du bon côté de la route. VRAI FAUX

2. C'est un passage pour piétons. VRAI FAUX

3. Tu discutes sur un passage piéton. VRAI FAUX

4. C'est au piéton de passer. VRAI FAUX

5. Tu as le droit de traverser. VRAI FAUX

6. Tu ne traverses pas en courant. FAUX VRAI

7. Tu traverses au bon endroit et Marc au mauvais endroit. VRAI FAUX

8. Tu traverses au bon endroit. VRAI FAUX

Notez votre score!

F

Travaillez avec un(e) partenaire.
Faites un poster pour la Prévention Routière!

Avec deux ami(e)s faites une émission de radio pour la Prévention Routière. Employez des phrases comme:

Moi, je marche dans la rue . . .
Moi, je traverse en courant . . .
Moi, je discute sur un passage piéton . . .

(Add your own sound effects to show what might happen if you do such silly things!)

Testez votre mémoire

Mettez les conseils dans la bonne colonne.

Le mauvais piéton

Je regarde derrière moi.

Je marche sur le trottoir.
Je traverse au signal.
J'attends le petit bonhomme vert.
Je marche dans la rue.
Je regarde devant moi.

Je traverse en courant.

Illustrez les phrases!

Le bon piéton

Je fais attention devant une sortie de garage.
Je joue sur le trottoir.
Je traverse au passage piéton.
Je regarde à droite puis à gauche.
Je joue dans la rue.
Je discute sur un passage piéton.
Je traverse au bon endroit.

POUR VOUS AIDER

Conseils piétons! *Advice for pedestrians!*
La ville et vous *In and around town*
Les petits piétons *Young pedestrians*
Quels sont les huit dangers? *What are the eight dangers?*
Que vous dit-on? *What are you told?*
Soyez ami avec la rue! *Be street-wise!*
Quel conseil va avec quel dessin? *Which advice goes with which drawing?*
Vous connaissez les dangers *You know what the dangers are*
Allez en ville! *You can go into town!*
Ne sortez pas! *You can't go out!*
À quelle phrase se rapporte chacune de ces illustrations? *Which picture goes with which sentence?*
Vous êtes prêt pour votre permis piéton? *Are you ready to take your pedestrian test?*
Faites un poster pour la Prévention Routière *Make a road safety poster*

MODULE 15

En ville

Objectif

How to ask for and understand directions
How to identify places in the town

A

Maintenant vous connaissez les règles d'or du petit piéton. Où voulez-vous aller?

Écoutez la cassette et regardez les noms des rues.

Remplissez les trous. Écrivez les noms dans votre cahier.

Personne 1 dit: Rue Royale !

Personne 2 dit: ....

Personne 3 dit: ....

Personne 4 dit: ....

Personne 5 dit: ....

Personne 6 dit: ....

N'écrivez pas sur cette page

B

Parlez avec votre partenaire.
Trouvez un dé.

Vous êtes en ville.
Vous demandez:

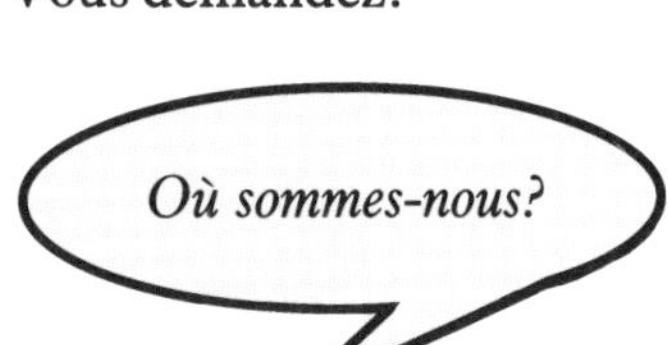

Votre partenaire lance le dé et répond:

Rue Faidherbe

Avenue de la Paix

Place Navarin

Boulevard Auguste Mariette

Rue Royale

Rue Lamarck

À tour de rôle!

C *Les jeunes spiralistes vont en ville!*

Écoutez-les.
Que disent-ils?

1.

2.

3.

4.

5.

6.

Vrai ou Faux?

Spiraliste 1 veut aller à la librairie.
Spiraliste 2 veut aller à la poste.
Spiraliste 3 veut aller à l'office de tourisme.
Spiraliste 4 veut aller au Monoprix.
Spiraliste 5 veut aller à la boulangerie.
Spiraliste 6 veut aller au restaurant McDo.
Spiraliste 7 veut aller à l'hypermarché.
Spiraliste 8 veut aller à la gare SNCF.
Spiraliste 9 veut aller à la banque.
Spiraliste 10 veut aller à la crêperie.

7.

8.

9.

10.

D Que cherchent-ils?

★ Écoutez encore une fois la cassette et cochez la grille à chaque fois.

	1	2	3	4	5	6	7	8
la librairie								
la boulangerie								
la banque								
la poste								
la gare								
le Monoprix								
l'office de tourisme								
l'hypermarché								

N'écrivez pas sur cette grille

Flash-Grammaire

The *le, la, l', les*

Use **le**, **la**, **l'**, **les** where in English you say 'the'.

1. Use **le** with masculine words, e.g.
   le port, **le** cinéma
2. Use **la** with feminine words, e.g.
   la gare, **la** librairie
3. Use **l'** with singular words that begin with a vowel (**a**, **e**, **i**, **o**, **u**) and sometimes **h**, e.g.
   l'hypermarché, **l'**office de tourisme
4. Use **les** with plural words, e.g.
   les banques

 **E**

1 Écoutez ces passants. Où veulent-ils aller?

1. ....
2. ....
3. ....
4. ....
5. ....
6. ....
7. ....

N'écrivez pas sur cette page

2 Parlez.
Prenez la place de ces personnes et demandez:
Où est le/la/l' . . . ?
À vous maintenant!

F ★ *Êtes-vous un(e) bon(ne) interprète?*

Écoutez ce passant bien sympa. Quel chemin indique-t-il?

1. Regardez, c'est à gauche!
2. C'est à droite!

3. C'est là-bas!

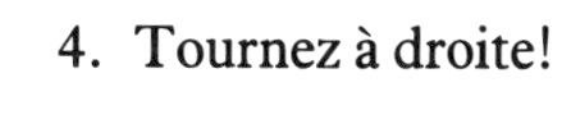

4. Tournez à droite!

5. C'est tout droit!

6. Tournez à gauche!

7. Ah, c'est tout près!

Vrai ou Faux?
1. It's on the right!
2. It's over there!
3. It's very near!
4. Turn right!
5. It's straight on!
6. Turn right!
7. Turn left!

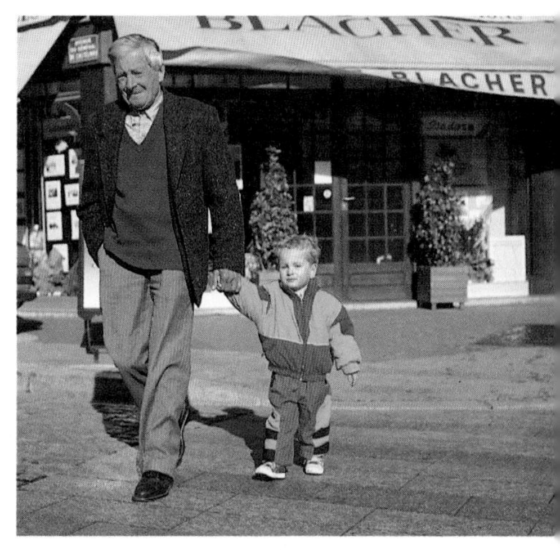

G *Exercice imitation*

Travaillez avec un(e) partenaire. Écoutez encore une fois ces conversations et faites comme eux.

★ Posez des questions!
★ Indiquez le chemin!

H

Partenaire A: Parlez.
★ Regardez les bulles.
Demandez votre chemin.

Où est . . . ?

Partenaire B: Regardez ces petits plans.
Indiquez le chemin.

À tour de rôle!

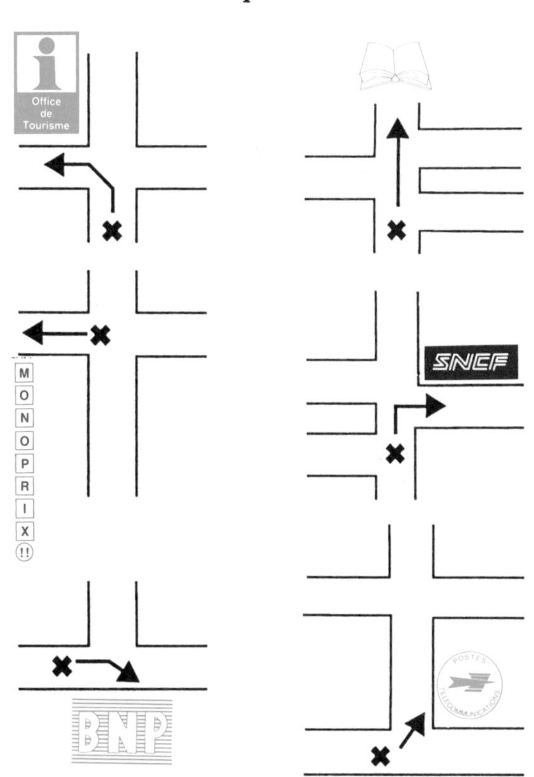

I

Lisez et parlez.
Choisissez parmi les cinq plans celui qui correspond au texte.

a 'Où est la poste, s'il vous plaît?'
'Tournez à droite et ensuite vous prenez la première à gauche.'
'Je vous remercie. Au revoir!'

b 'Excusez-moi, monsieur. Où est la gare, s'il vous plaît?
'C'est tout droit, jeune homme!'
'Merci. Au revoir, monsieur!'

c 'Pardon, mademoiselle. Où est le Monoprix, s'il vous plaît?'
'Oh, c'est tout près! Regardez, c'est là-bas.'
'Merci bien, mademoiselle!'

d 'Excusez-moi, madame, je cherche l'office de tourisme.'
'C'est à droite et tout droit!'
'Merci bien, madame. Au revoir!'

e 'Pardon, madame. Où est la librairie, s'il vous plaît?'
'Désolée, je ne sais pas!'

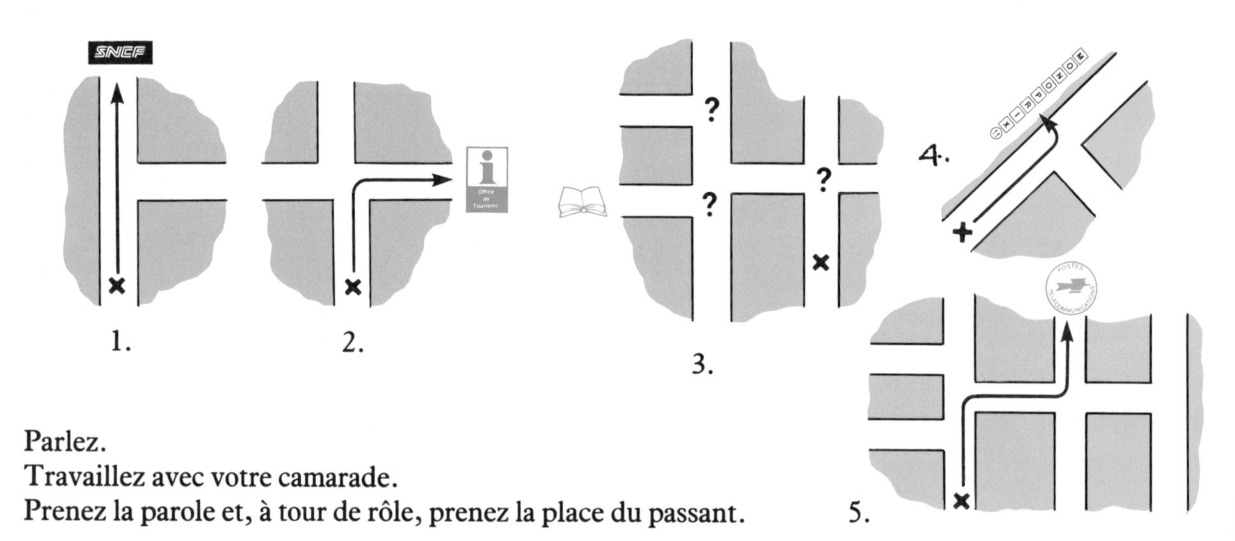

Parlez.
Travaillez avec votre camarade.
Prenez la parole et, à tour de rôle, prenez la place du passant.

Une page de lecture

aux feux

à gauche

HYPERMARCHÉ

C'est tout droit!

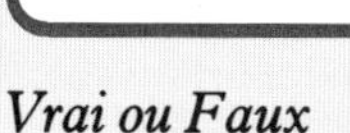

Ouvert

Fermé

Vrai ou Faux

1. La boulangerie est fermée à deux heures?
2. L'hypermarché est à droite?
3. Le supermarché est dans la première rue à gauche?
4. L'office de tourisme est à gauche aux feux?

Aide-Mémoire

EN VILLE

Où sommes-nous? *Where are we?*
C'est où ici? *Where is this?*
Vous êtes rue X *You're in X street*
Où est . . . , s'il vous plaît? *Where is . . . please?*
. . . la gare *the railway station*
. . . la banque *the bank*
. . . la poste *the post office*
. . . la librairie *the bookshop*
. . . la boulangerie *the baker's*
. . . la crêperie *the pancake house*
. . . le McDo *McDonald's restaurant*
. . . le Monoprix *the Monoprix supermarket*
. . . l'office de tourisme *the tourist office*
. . . l'hypermarché *the hypermarket*

LES DIRECTIONS

C'est à gauche *It's on the left*
C'est à droite *It's on the right*
C'est là-bas *It's over there*
C'est tout près *It's very near*
Aux feux . . . *At the traffic lights . . .*
Tournez à gauche *Turn left*
Tournez à droite *Turn right*

Cochez la grille à chaque fois *Tick the grid each time*
Êtes-vous bon(ne) interprète? *Are you a good interpreter?*
Posez des questions! *Ask questions!*
Indiquez le chemin! *Give directions!*
Regardez les bulles! *Look at the speech bubbles!*

La boîte magique des verbes

aller *to go*

Utilisez les ballons et les mots de la boîte magique pour former des phrases.

Exemple: Je vais à la discothèque.

Testez votre mémoire

Travaillez avec votre partenaire.

Partenaire A
Demandez: Tu vas où?

Partenaire B
Répondez:
Je vais au . . .
Je vais à la . . .
Je vais à l' . . .
C'est tout droit?

Partenaire A
Répondez:
Oui!
Non! Le/la . . . est dans la première rue à gauche.

À tour de rôle!

POUR VOUS AIDER

Regardez les noms des rues *Look at the street names*
Votre partenaire lance le dé et répond . . . *Your partner throws the dice and replies . . .*
Que cherchent-ils? *What are they looking for?*
Écoutez ce passant bien sympa *Listen to this friendly passer-by*
Quel chemin indique-t-il? *What directions does he give?*
Faites comme eux *Do the same as them*
Indiquez le chemin! *Give directions!*
Choisissez parmi ces cinq plans celui qui correspond au texte *Choose which one of the five maps goes with which dialogue*
Utilisez les ballons et les mots de la boîte magique pour former des phrases *Use the balloons and the words in the magic box to make up sentences*

MODULE 16

Manger sur le pouce!

Objectifs

How to ask for food and drink

How to use French money

How to eat healthily

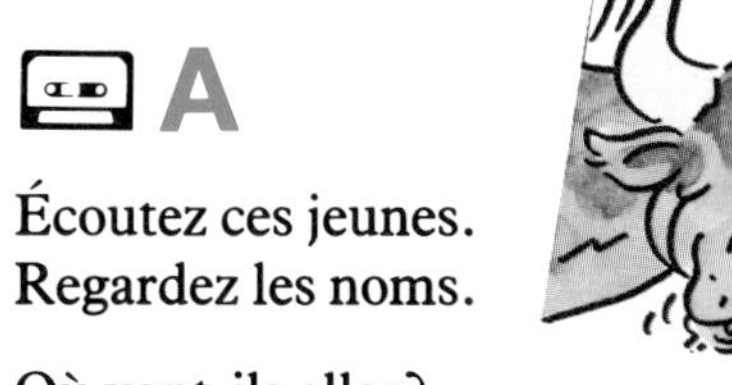

Écoutez ces jeunes.
Regardez les noms.

Où vont-ils aller?

1. Philippe ....
2. Marie-Laure ....
3. Anne-Sophie ....
4. Claude ....
5. François ....
6. Fatima ....

LE WELCOM
BAR
SNACK
Dans un cadre agréable...
JEUX - BILLARD - VIDÉO
6, place des Déportés
COMBOURG ☎ 99.73.33.90

B *C'est où?*

Écoutez ces directions.
Remplissez la grille.

1. ....
2. ....
3. ....
4. ....
5. ....
6. ....

N'écrivez pas sur cette grille

C

Écoutez cette conversation.
Où vont-ils?

A

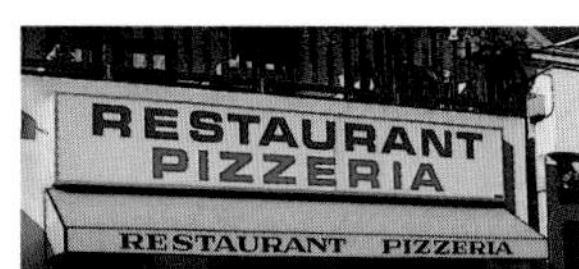

B

Guillaume le Conquérant
Restaurant

C

D *Que désirez-vous?*

1 Écoutez la cassette.
Regardez les illustrations.
Cochez la grille.

Personne 1 prend										
Personne 2 prend										
Personne 3 prend										
Personne 4 prend										
Personne 5 prend										
Personne 6 prend										
Personne 7 prend										
Personne 8 prend										
Personne 9 prend										
Personne 10 prend										

N'écrivez pas sur cette grille

2 Maintenant, faites correspondre chaque phrase à un dessin.

1. Je vais prendre un coca, et toi?

2. Moi, je vais prendre un Orangina.

3. Je vais prendre un hamburger. J'ai faim!

4. Je vais prendre un sandwich au fromage.

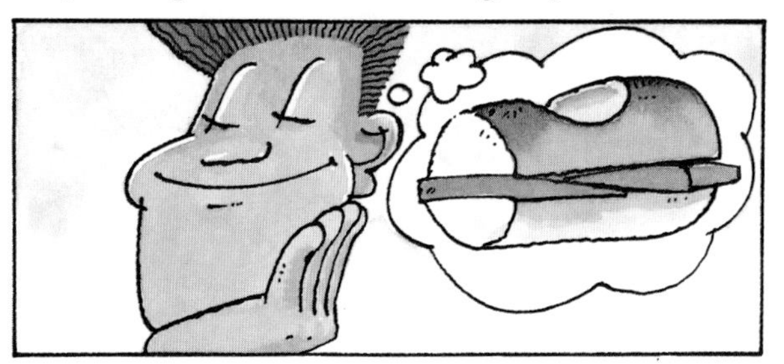

5. Je vais prendre un croque-monsieur.

6. Moi, j'ai soif. Je vais prendre un milkshake.

7. Je vais prendre un sandwich au jambon.

8. Bien . . . Moi, je vais prendre un café-crème.

9. Je vais prendre un chocolat.

10. Moi, euh, je vais prendre des frites.

E *Et vous, qu'allez-vous choisir?*

Parlez!
Travaillez avec un(e) partenaire.

Partenaire A: Choisissez quelque chose à manger ou à boire.
Dites ce que vous allez prendre!
Exemple: Moi, je vais prendre un café-crème!

Partenaire B: Vous travaillez dans un café.
Votre partenaire choisit . . . .
. . . .
. . . .

Prenez des notes!
Exemple:

F *Que vont-ils prendre?*

Écoutez Christophe, Alain, Nina et Élise. Que vont-ils prendre? Trouvez la bonne illustration et faites-la correspondre aux personnes. Attention, il y a cinq repas!

A

B

C

Copiez cette grille dans votre cahier.

NOM	MENU
Christophe	
Nina	
Alain	
Élise	

N'écrivez pas sur cette grille

D

E

G

À vous maintenant!
Qu'est-ce que vous prenez?

fiche de pré-commande

FAITES COMME LES PETITS FUTÉS...
REMPLISSEZ LA FICHE AVANT ET REMETTEZ-LA SANS ATTENDRE
A LA CAISSE SPÉCIALE VENTE A EMPORTER!!

	☐	Article	Description	Prix
chaud	☐	**Hamburger maxi**	pain rond, viande, assaisonnement.	6,90 F
	☐	**Cheeseburger maxi**	hamburger maxi avec du fromage.	8,40 F
	☐	**Supercheese**	cheeseburger maxi avec du jambon fumé.	10,90 F
	☐	**Hitburger**	pain long, viande, assaisonnement, crudités.	16,10 F
	☐	**Hitfrench**	Hitburger avec des fines herbes.	16,70 F
	☐	**Hitpoulet**	pain long, poulet pané, assaisonnement, crudités.	18,80 F
	☐	**Hitcheese**	pain long, viande, assaisonnement, fromage, crudités.	17,90 F
	☐	**Frites**	☐ mini 5,00 F	☐ normal 6,90 F
froid	☐	**Hitmarine**	pain long, filet de merlu au citron assaisonné.	14,90 F
	☐	**Hitjambon**	pain long, jambon fumé, fromage, assaisonnement, crudités.	17,20 F
	☐	**Hitrôti**	pain long, rôti de bœuf, assaisonnement, crudités.	13,80 F
	☐	**Salade californienne**	salade verte, tomates, haricots rouges, croûtons, oignons.	11,20 F
desserts	☐	**Délice**	feuilleté aux morceaux de pomme.	6,50 F
	☐	**Sundae**	glace au sirop ☐ chocolat ☐ fraise ☐ fruits exotiques.	7,00 F
	☐	**Super sundae**	☐ avec des fraises ☐ myrtilles ☐ pêches ☐ griottes.	8,00 F
boissons	☐	**Coca-Cola**	☐ mini 5,50 F	☐ normal 6,80 F
	☐	**Fanta Orange**	☐ mini 5,20 F	☐ normal 6,80 F
	☐	**Jus d'orange**	concentré surgelé.	7,00 F
	☐	**Bière**		6,70 F
	☐	**Milkshake**	☐ vanille ☐ chocolat ☐ fraise ☐ fruits exotiques.	7,00 F
	☐	**Chocolat**		3,40 F
	☐	**Café**	☐ noir 2,60 F	☐ crème 2,90 F

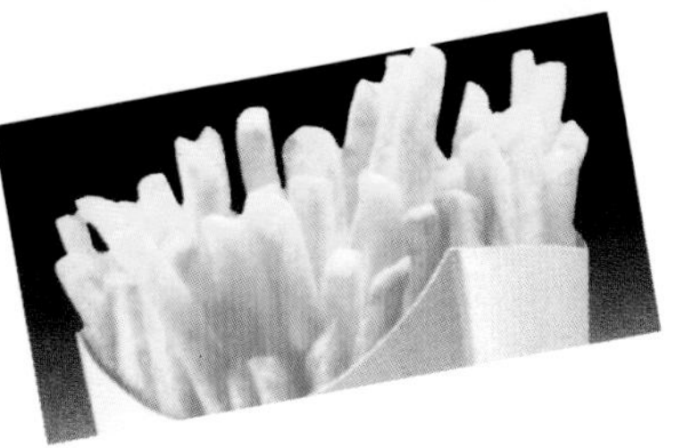

Parlez!
Travaillez en groupes.
Regardez la fiche de pré-commande.
Demandez à vos camarades ce qu'ils veulent manger ou boire.
Notez leurs commandes.
Exemple:
Vous: Et toi, qu'est-ce que tu veux?
Votre camarade: Je vais prendre un cheeseburger, des frites et un Fanta Orange.

H *Que diriez-vous?*

Regardez le dessin et écrivez.
★ Choisissez une phrase pour chaque personne.

1. Une limonade, s'il vous plaît!
2. Un sandwich au fromage s'il vous plaît.
3. Un hamburger, s'il vous plaît.
4. Où sont les toilettes, s'il vous plaît?
5. Un Orangina pour moi et pour elle un café-crème.
6. Vous avez des milkshakes?
7. L'addition, s'il vous plaît!

★ Écrivez vos réponses dans votre cahier.

L'argent français

Pour pouvoir payer l'addition, voici de l'argent français.

Les pièces

cinq centimes **dix centimes** **vingt centimes** **cinquante centimes** **un franc** **cinq francs** **dix francs**

Les billets

vingt francs **cinquante francs** **cent francs** **deux cents francs**

1 Écoutez la cassette.
Choisissez la bonne pièce de monnaie ou le bon billet.

2 *Cela fait . . . francs*
Maintenant vous êtes prêt. L'addition, s'il vous plaît! – Cela fait vingt francs . . . Écoutez!
Choisissez la bonne addition.

Il y a une erreur! C'est quel numéro?

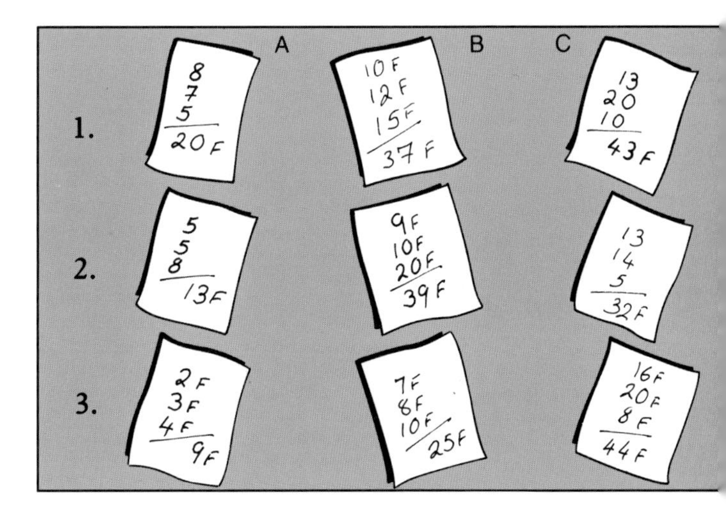

infoCULTURE

In a French café or restaurant you may find that an extra charge has been added to your bill for service. Sometimes the menu prices already include this service charge, in which case the menu will say *Service compris.* If the service charge is not included, you may see this phrase: *Service non compris.* You should then leave a tip (*un pourboire*) of about ten per cent for the waiter or waitress.

CAFE OPERA
9 RUE MOGADOR
PRIX SERVICE 15%
COMPRIS
****

27-10-90 #0001

CREME *18.00
SODAS *18.00
S/TOTAL *36.00
ESPECES *36.00

4- 1722 12:08

Les Trois Portes
65, rue Lafayette - 75009 PARIS
Tél. 48 78 23 04
Siret : 572 219 962000 14

1 Avocat	39
1 S Mixte	25
1 formule App	86
1 Limonade	18
1 Pêche	18
TOTAL	

SERVICE COMPRIS 15 %

Merci de votre visite 186

Nº 067453

Bar — Restaurant
Le Danube Bleu
47, rue de Trévise - 75009 Paris
Tél. : 47 70 95 15

R.C. Paris B 342 783 651

Le 26 X 1990

Menus	
Entrées	
2 Plats	84.00
Desserts	
Apéritifs	
1 Vins	9.00
1 Eaux	
2 Cafés	15.00
Alcools	
Total	108.00

Service compris

Une page de lecture

À découvrir

C'est en français ou en anglais?
Regardez cette page. Il y a des mots anglais qui existent en français.
Faites une liste dans votre cahier. Notez votre score!
Exemple:

sandwich

J Bon à savoir

La journée du goût – a lesson in taste!
All the schools in France have had a special day called *La journée du goût*. This was to make everyone aware of healthy foods and the importance of a balanced diet.

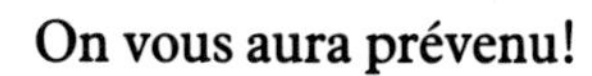
On vous aura prévenu!

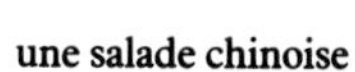
une salade chinoise

une pomme de terre

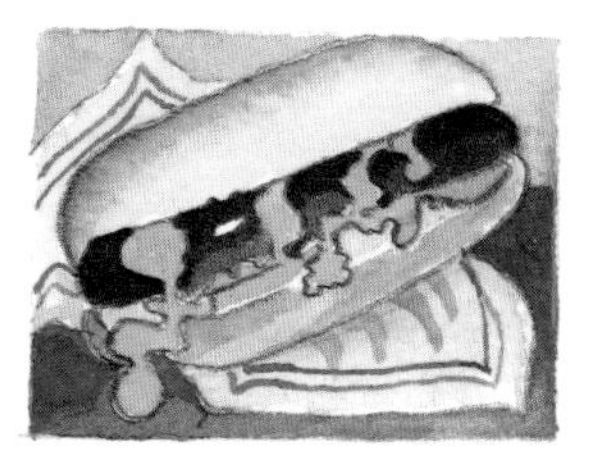

un hot-dog moutarde

un hamburger

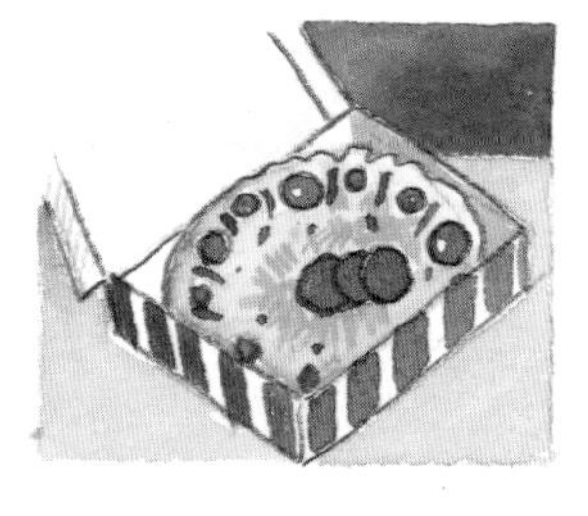

une pizza

un milkshake

un café-crème

des frites

Attention aux calories!

SALÉ		SUCRÉ		BOISSONS	
Quantités	Calories	Quantités	Calories	Quantités	Calories
1 hamburger	260	1 milkshake (290ml)	340	(1 verre de 20 cl)	
1 cheeseburger	300	1 café liégeois	250	1 Coca ou Pepsi	88
1 double hamburger	500	2 boules de glace	150	1 bitter	90
1 hot dog moutarde	400	2 boules de sorbet	125	1 soda	90
1 sandwich saucisson	500	1 cône glacé	200	Boisson aux fruits (Oasis, Banga)	85
1 quiche lorraine	370	1 crêpe au sucre	200	Jus de raisin	142
1 part de pizza	350			Sirop à l'eau	55
1 mini paquet de chips	170				
1 portion de frites	200				
1 poignée de cacahuètes	100				
1 paquet de biscuits apéritif	500				
1 sachet de pistaches grillées	650				

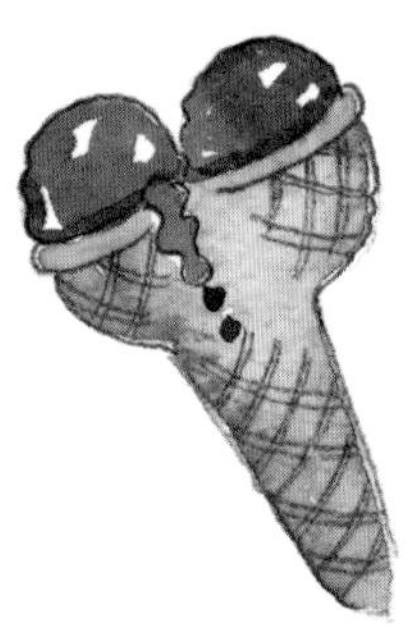

1 Faites une liste de ce que vous aimez et de ce que vous n'aimez pas manger.
2 Trouvez les calories et remplissez cette grille.

J'aime	Je n'aime pas
un hamburger - 260c	un sirop à l'eau - 55c

N'écrivez pas sur cette page

Bien s'alimenter, c'est facile!

K Sondage

★ Faites un sondage dans votre classe. Demandez à vos camarades:

Qu'est-ce que tu aimes manger?
Qu'est-ce que tu aimes boire?
Qu'est-ce que tu n'aimes pas?

Collez le sondage au mur de votre salle de classe.
Exemple:

Jane n'aime pas les hamburgers mais elle aime les hot-dog.

Martin aime le thé mais il n'aime pas le café.

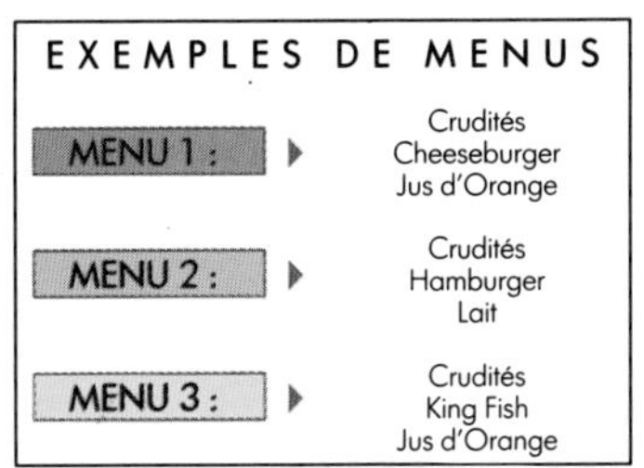

EXEMPLES DE MENUS

MENU 1 :	Crudités Cheeseburger Jus d'Orange
MENU 2 :	Crudités Hamburger Lait
MENU 3 :	Crudités King Fish Jus d'Orange

Aide-Mémoire

Je vais prendre un coca, et toi? *I'm going to have a coke, and you?*
Moi, je vais prendre un Orangina *I'm going to have an Orangina*
Je vais prendre un hamburger. J'ai faim! *I'm going to have a hamburger. I'm hungry!*
Je vais prendre un sandwich au fromage *I'm going to have a cheese sandwich*
Je vais prendre un croque-monsieur *I'm going to have a toasted cheese sandwich*
Moi, j'ai soif. Je vais prendre un milkshake *I'm thirsty. I'm going to have a milk-shake*
Une limonade, s'il vous plaît! *A lemonade, please!*
Où sont les toilettes, s'il vous plaît? *Where are the toilets, please?*
Vous avez des milkshakes? *Have you any milk-shakes?*
L'addition, s'il vous plaît! *The bill please!*
J'aime *I like*
Je n'aime pas *I don't like*
l'argent français *French money*
dix centimes *about one penny*
un franc *about ten pence*
cinq francs *about fifty pence*
dix francs *about £1**

*The French equivalent of the pound varies – it is not exactly 10 francs. The exact exchange rate is shown in the bank window.

Choisissez une phrase pour chaque image *Choose a sentence to go with each picture*
Écrivez vos réponses dans votre cahier *Write your answers in your exercise book*
Demandez à vos camarades *Ask your friends*

Activités

1 Le jeu de l'oie

A Il te faut: un dé
des pions
un(e) partenaire.

1. Ton premier chiffre doit être le six.
2. On jette le dé.
3. Quand tu tombes sur un carré, dis ce que c'est:
   Exemple: C'est un hamburger.
4. Si tu tombes sur un carré vert, tu grimpes l'échelle.
5. Si tu tombes sur un carré rouge (pas de chance) tu descends le long du serpent.
6. Le premier qui arrive à la 'sortie' gagne.

Attention!
Les chiffres verts sont bons pour la santé.
Les chiffres rouges sont mauvais pour la santé.

POUR VOUS AIDER

Le jeu de l'oie *Snakes and ladders*

You have to throw a six before you can start.
Then throw the dice and move forward the correct number of squares.
In French, say what sort of food you have landed on.
Red numbers = unhealthy food.
Green numbers = healthier items.
If you land on a coloured number, move up or down the ladder as indicated.
The winner is the first one to reach the exit.

B *Ce qui est bon pour vous, ce qui est mauvais pour vous!*

Voici un peu de vocabulaire pour vous aider:

les fruits	les cacahuètes	les yaourts
le chocolat	les pizzas	les gâteaux
le jus de fruit	l'Orangina	les frites
les bonbons	les chips	le coca
un sandwich au fromage	l'eau minérale	la limonade
un hamburger	un sandwich au jambon	les glaces
		les biscuits

Copiez cette grille dans votre cahier.
Regardez le jeu et remplissez la grille.

Bon	*Assez bon*	*Mauvais*

N'écrivez pas sur cette grille

2 *Testez votre personnalité*

1 . . . 2 . . . 3 . . . . . . jouez!
Reconnaissez-vous. Qui êtes-vous?
Vous êtes ce que vous mangez. Le saviez-vous?
Regardez la brochure, choisissez votre menu et reconnaissez-vous.
Êtes-vous: sympa
décontracté(e)
bosseur/bosseuse
paresseux/paresseuse?

Sympa
Vous aimez manger un hamburger et boire un petit coca avec vos camarades.

Décontracté(e)
Vous aimez la salade californienne et un bon jus d'orange.

Bosseur/bosseuse
Vous aimez les frites, les salades, les hamburgers et vous aimez boire du jus d'orange pour être en pleine forme.

Paresseux/paresseuse
Les boissons softs, par exemple le milkshake, et le Perfect poulet avec des frites sont vos aliments préférés.

Demandez à votre camarade ce qu'il/elle aime et trouvez quelle est sa personnalité.

Bonne chance!

Testez votre mémoire

Au café!
Travaillez avec votre partenaire.

Partenaire A
Moi, je vais prendre . . .

Partenaire B

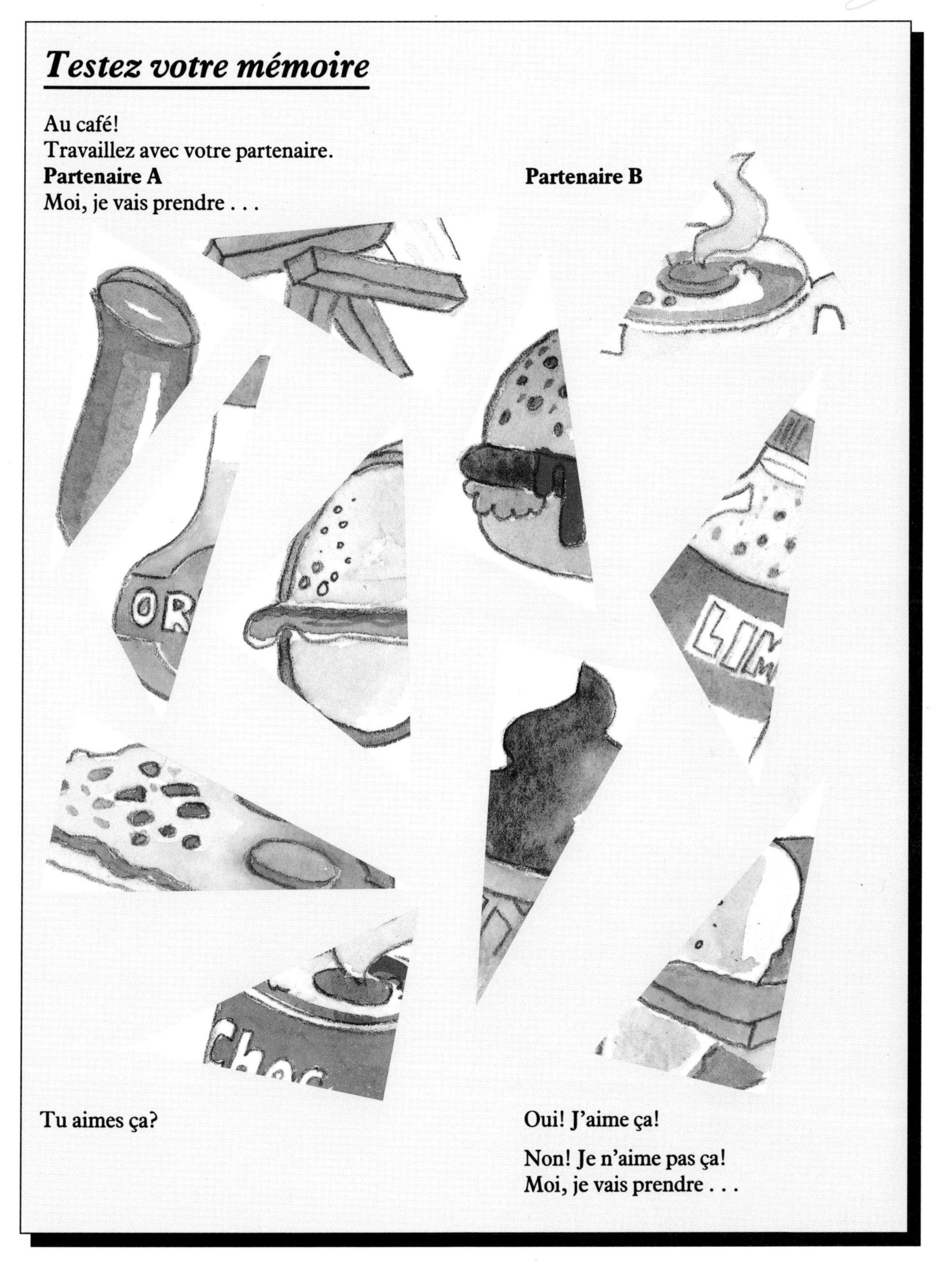

Tu aimes ça?

Oui! J'aime ça!

Non! Je n'aime pas ça!
Moi, je vais prendre . . .

POUR VOUS AIDER

Manger sur le pouce! *How about a snack?*
C'est où? *Where is it?*
Où vont-ils aller? *Where are they going?*
Le bar-à-lait *Milk bar*
Pizza à emporter *Pizza to take away*
Que désirez-vous? *What would you like?*
Et vous . . . qu'allez-vous choisir? *And you . . . what will you have?*
Choisissez quelque chose à manger et à boire! *Choose something to eat and drink!*
Dites ce que vous allez prendre! *Say what you are going to have!*
Vous travaillez dans un café *You work in a café*
Votre partenaire choisit . . . *Your partner chooses . . .*
Que vont-ils prendre? *What are they going to have?*
Qu'est-ce que vous prenez? *What are you going to have?*
cinq repas *five meals*
Regardez la fiche de pré-commande *Look at the order slip*
Demandez à vos camarades ce qu'ils veulent manger ou boire *Ask your friends what they want to eat or drink*
Notez leurs commandes *Write down their orders*
Que diriez-vous? *What would you say?*
Pour pouvoir payer l'addition, voici de l'argent français *To pay the bill here is some French money*
Les pièces . . . les billets *Coins . . . notes*
Choisissez la bonne pièce de monnaie ou le bon billet *Choose the right coin or the right note*
Maintenant vous êtes prêt! *Now you are ready!*
Cela fait . . . francs *That comes to . . . francs*
L'addition, s'il vous plaît! *The bill please!*
Il y a une erreur! *There's been a mistake!*
C'est quel numéro? *Which number is it?*
C'est en français ou c'est en anglais? *Is it in French or is it in English?*
Bon à savoir *Good to know*
On vous aura prévenu! *You have been warned!*
Bien s'alimenter, c'est facile *It's easy to eat well*
Attention aux calories! *Watch those calories!*
Faites une liste de ce que vous aimez et de ce que vous n'aimez pas *Write a list of what you like and what you don't like*

C'EST TON PROFIL

Coche ce que tu as appris.

Maintenant je peux . . .	Si tu es prêt, tu coches ☑ *bien*	*moyen*	*pas très bien*	Si tu ne peux pas, mets une croix ☒ et révise la page . . .
comprendre les conseils piétons en ville	☐	☐	☐	**118**
demander: Où sommes-nous? Où est . . . s'il vous plaît?	☐	☐	☐	**122**
comprendre: C'est à droite C'est à gauche, etc.	☐	☐	☐	**125**
dire où je vais aller: Je vais au McDo, etc.	☐	☐	☐	**131**
comprendre: Que désirez-vous?	☐	☐	☐	**132**
dire: Je vais prendre un Orangina, etc. J'ai faim/J'ai soif	☐	☐	☐	**133**
demander: Que vas-tu choisir? Qu'allez-vous prendre?	☐	☐	☐	**134**
dire: Vous avez un Orangina, s'il vous plaît?	☐	☐	☐	**136**
payer l'addition	☐	☐	☐	**137**
comprendre: Cela fait dix francs	☐	☐	☐	**137**
dire ce que j'aime et ce que je n'aime pas	☐	☐	☐	**141**
demander: Où sont les toilettes, s'il vous plaît? L'addition, s'il vous plaît, etc.	☐	☐	☐	**142**

N'écrivez pas sur cette page

MODULE 17

Chacun chez soi

Objectifs

How to describe your home

How to understand other people describing their homes

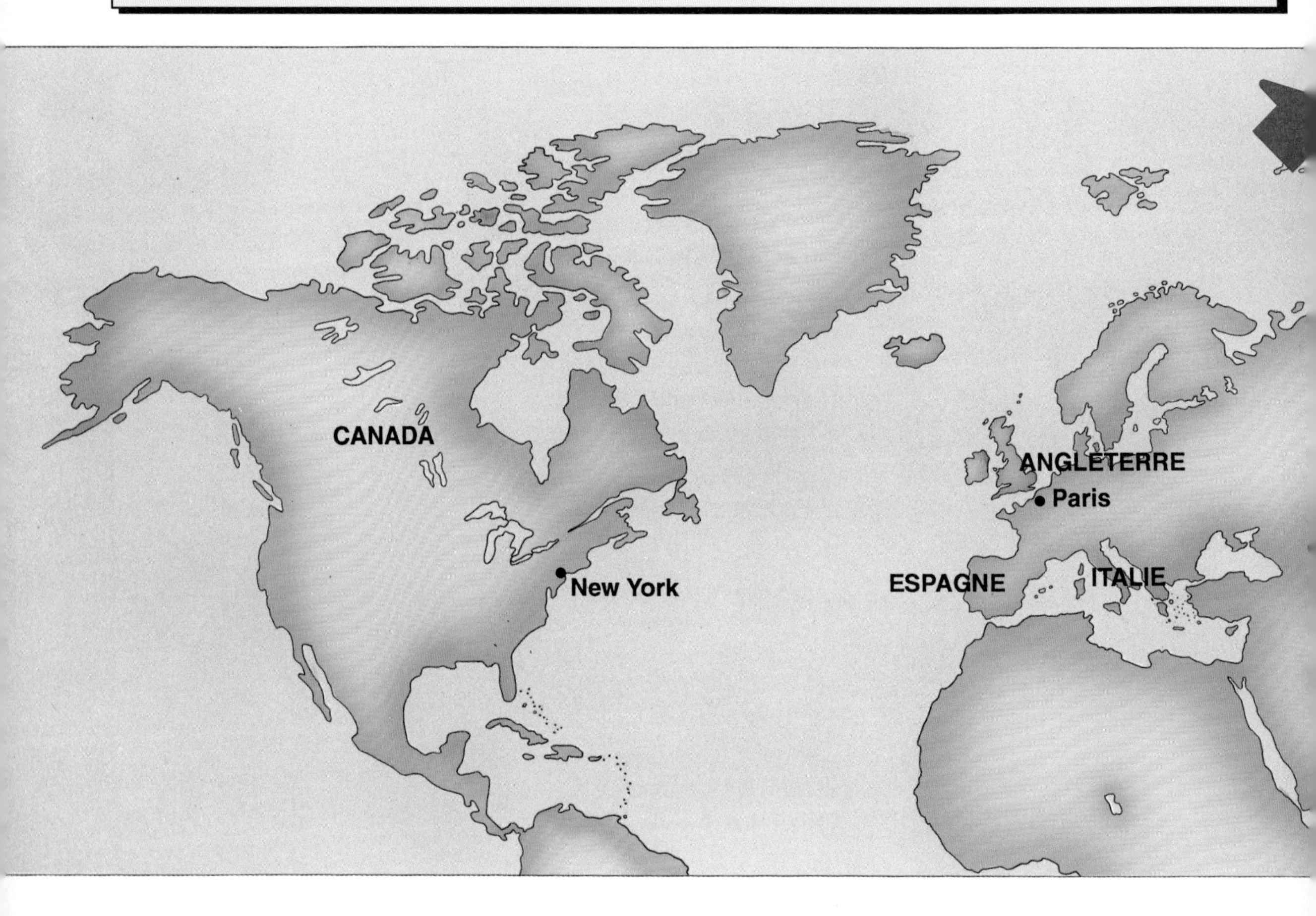

A *Où habitent-ils?*

Écoutez!
Regardez les illustrations.

1. un appartement à Paris

2. un cottage en Angleterre

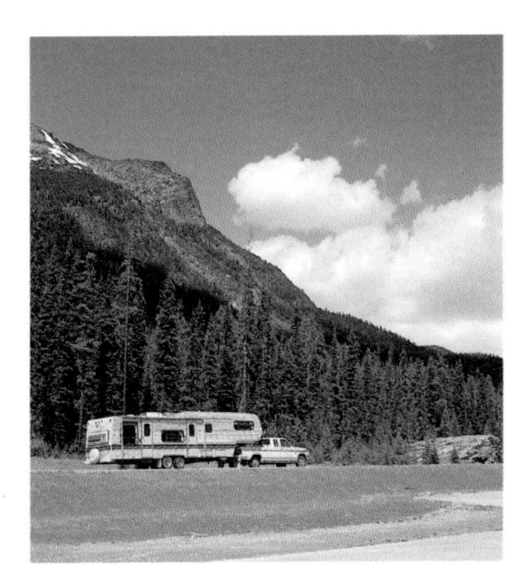

3. une caravane au Canada

4. un gratte-ciel à New York

5. une ferme en Espagne

6. une villa en Italie

7. Et moi dans une botte sur la planète XQZ.

Écoutez encore une fois la cassette et complétez la grille.

	Pays	*Type d'habitation*
Audrey	France	flat
Maria		
Tom		
Alain		
Claudia		
Peter		
X . . .		

N'écrivez pas sur cette grille

B

Parlez.
À vous maintenant!
Regardez cette fiche 'Habitation':

Pays	*Type d'habitation*
en Angleterre	une maison
au Japon	un appartement
en Amérique	une caravane
en Italie	une ferme
en France	un cottage
en Espagne	un gratte-ciel
en Belgique	un château

1 Travaillez avec un(e) partenaire

Partenaire A
Choisissez un type d'habitation où vous voulez habiter.
Dites où vous habitez à votre camarade.
Votre partenaire devine dans quel pays vous habitez.

Exemple:
Vous: Moi, j'habite dans un appartement.
Votre partenaire: Tu habites en Amérique?
Vous: ....

Partenaire B
Écoutez votre partenaire.
Devinez dans quel pays il/elle habite.

Exemple:
Votre partenaire: J'habite dans un appartement.
Vous: Tu habites en Espagne?
Votre partenaire: ....

2 Les lieux d'habitation
Travaillez avec un(e) partenaire.
Choisissez un lieu d'habitation et dites où vous habitez.

Exemple:
Vous: J'habite dans une grande ville, et toi?

J'habite . . .

au bord de la mer

à la campagne

dans une grande ville

en banlieue

dans une petite ville

Flash-Grammaire

Reminder

1. With feminine countries (countries ending with an **e**), 'in' and 'to' are translated by **en**. For example:

   Je vais **en** France *I am going to France*
   J'habite **en** France *I live in France*

2. With masculine countries, 'in' and 'to' are translated by **au**. For example:

   au Japon
   au Portugal
   au Canada

Remember that some countries are plural, e.g.

les États-Unis *the United States*

For plural countries, 'in' or 'to' is **aux**:

J'habite **aux** États-Unis

C Habitation idéale

★ Vous interrogez vos camarades.
Sondage: Où habites-tu?
Regardez les bulles et prenez leur place.

Exemple: J'habite dans un gratte-ciel.

D *Un bon architecte?*

Un architecte pas comme les autres!
Les petites souris reconstruisent leur maison.
Voici la maison de leurs rêves.

Écoutez la cassette et regardez le dessin.
Trouvez le bon numéro et la plaquette qui va avec.

la cuisine	la salle à manger	ma chambre	la salle de bains	les WC
le salon	la chambre de mes parents	le coin repas		

 **E**

Écoutez encore une fois la cassette et regardez l'ordinateur.
Trouvez les erreurs.
Les souris se sont trompées . . .

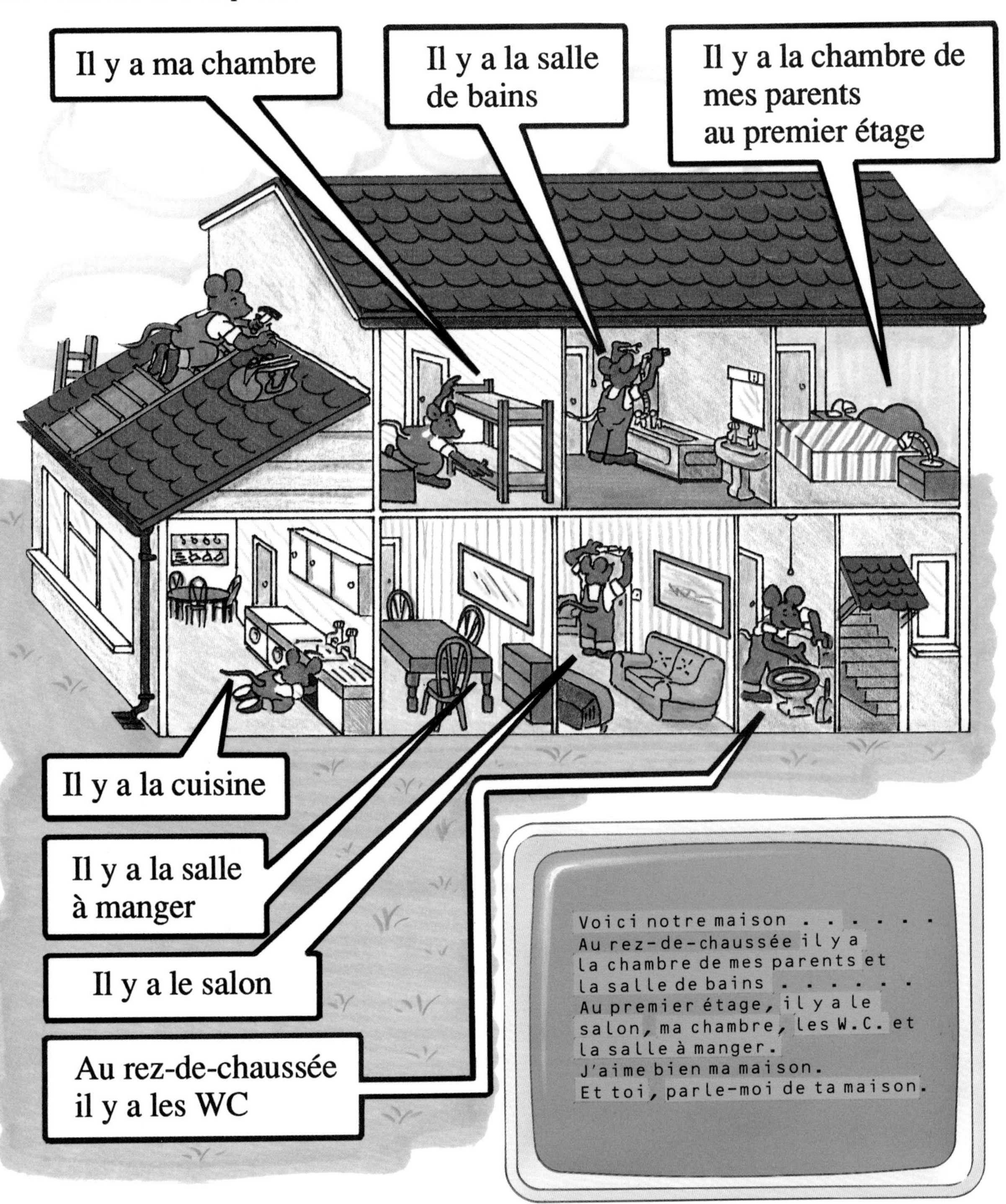

F Comment construire la maison de vos rêves?

1 Écoutez les conseils que l'on vous donne. Quelles sont les six pièces?

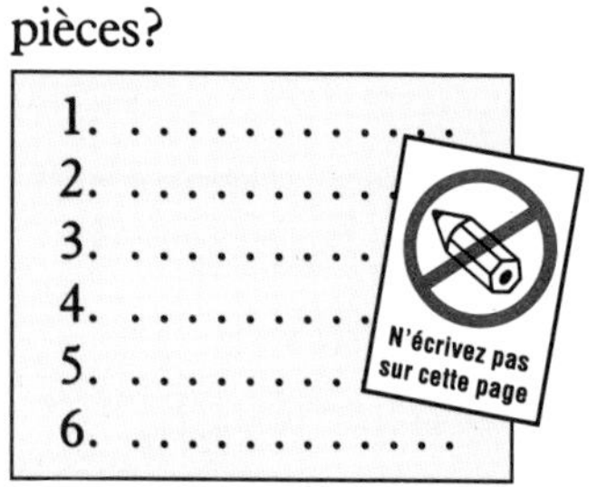

1. . . . .
2. . . . .
3. . . . .
4. . . . .
5. . . . .
6. . . . .

2 Parlez.
À vous maintenant!
Dessinez l'appartement ou la maison de vos rêves.
Écrivez les noms de toutes les pièces.
Décrivez votre maison ou votre appartement à la classe.
★ Collez les dessins au mur.

POUR VOUS AIDER

le salon	les WC
la salle de bains	la salle à manger
ma chambre	la cuisine
la chambre de mes parents	le coin repas

G À cœur ouvert: Les déménagements

Aidez-nous!
On recherche une habitation.

1 Lisez les petites annonces et trouvez la bonne maison.

2 À vous maintenant!
Faites votre page 'À cœur ouvert', puis jouez avec vos camarades au jeu . . .

Je pense à une maison avec . . . , je pense à un appartement avec . . .

Vos camarades doivent deviner quelle maison vous recherchez.
Notez votre score!

A
IDEAL VACANCES
A 5 minutes de la plage et du centre piéton de Villers/Mer, un APPARTEMENT 2 pces, très fonctionnel.
Prix : 300 000 F
B
PRIX RARE ET FOU !
C'est un STUDIO tout équipé avec balcon et mezzanine (les enfants adorent ça !) direct à la plage.
Prix : 245 000 F
2.
Je suis désespérée ! Je recherche un appartement près du centre piéton. Un-deux pièces. Une lectrice.
1.
On recherche une maison style cottage avec deux chambres. Aidez-nous !
C
HOULGATE
Vous recherchez du standing ! Voici un très beau 2 PIECES séj. av. ptres et chem. Parking en ss-sol et cave.
Réf. 2A783.
Px : 560 000 F
Tél. (16) 31.91.67.12
D
CHARME ET VERDURE
Pour ce confortable 3 PIECES avec jardin privé et poss. de cheminée dans le séjour.
Prix : 320 000 F
E
NEUF !
AISON 3 pces parfaitement énagée, à 900 m de la plage de llers/Mer. Jardin intéressant.
Prix : 395 000 F
3.
Pensez à moi ! Je recherche un studio avec balcon dans le centre ville. Je suis toute seule...
F
Du traditionnel, pour cette superbe MAISON à colombages, avec une charretterie. 2 grandes chambres, 1 séjour, salon, 1 cuisine spacieuse, combles aménageables.
Prix : 350 000 F
G
Prix : 345 000 F
os enfants comme les miens aiment s'amuser sur la plage, faites-leur plaisir en leur offrant un 2 PIECES avec jardin pour jouer encore, même après le bain.
Prix : 308 000 F
H
LE CHARME D'UN VIEUX QUARTIER
Dans cette résidence normande de qualité. Ce beau 2 PIECES avec cuisine indépendante tout équipée. Grand balcon.
Prix : 285 000 F
4.
Fou, fou ! Je recherche une maison avec un salon et une grande cuisine.
I
DOMINANT LA MER !
Ce charmant COTTAGE, colombages en chêne, spacieux séjour, 2 belles chambres.
Prix : 360 000 F
J
Dominant un vieux quartier, cette accueillante MAISON 3 pces. Séjour avec cheminée, 2 chambres à l'étage.
Prix : 380 000 F

Aide-Mémoire

une maison *a house*
un appartement *a flat*
une caravane *a caravan*
une ferme *a farm*
un cottage *a cottage*
un gratte-ciel *a skyscraper*
un château *a castle*

J'habite dans une grande ville *I live in a large town*
J'habite au bord de la mer *I live at the seaside*
J'habite à la campagne *I live in the country*
J'habite en banlieue *I live in the suburbs*
J'habite dans une petite ville *I live in a small town*

PAYS
en Angleterre *in England*
en France *in France*
en Italie in Italy
en Amérique *in America*
en Espagne *in Spain*
en Belgique *in Belgium*
au Japon *in Japan*

Vous interrogez vos camarades *You ask your friends questions*
Collez les dessins au mur *Stick the drawings on the wall*
Écrivez ou enregistrez votre lettre sur cassette *Write or record your letter on cassette*

H *Puzzle: Cherchez l'intrus!*

1 Regardez ces trois pièces.
Dans chaque pièce il y a un intrus.
Quel meuble est dans la mauvaise pièce?

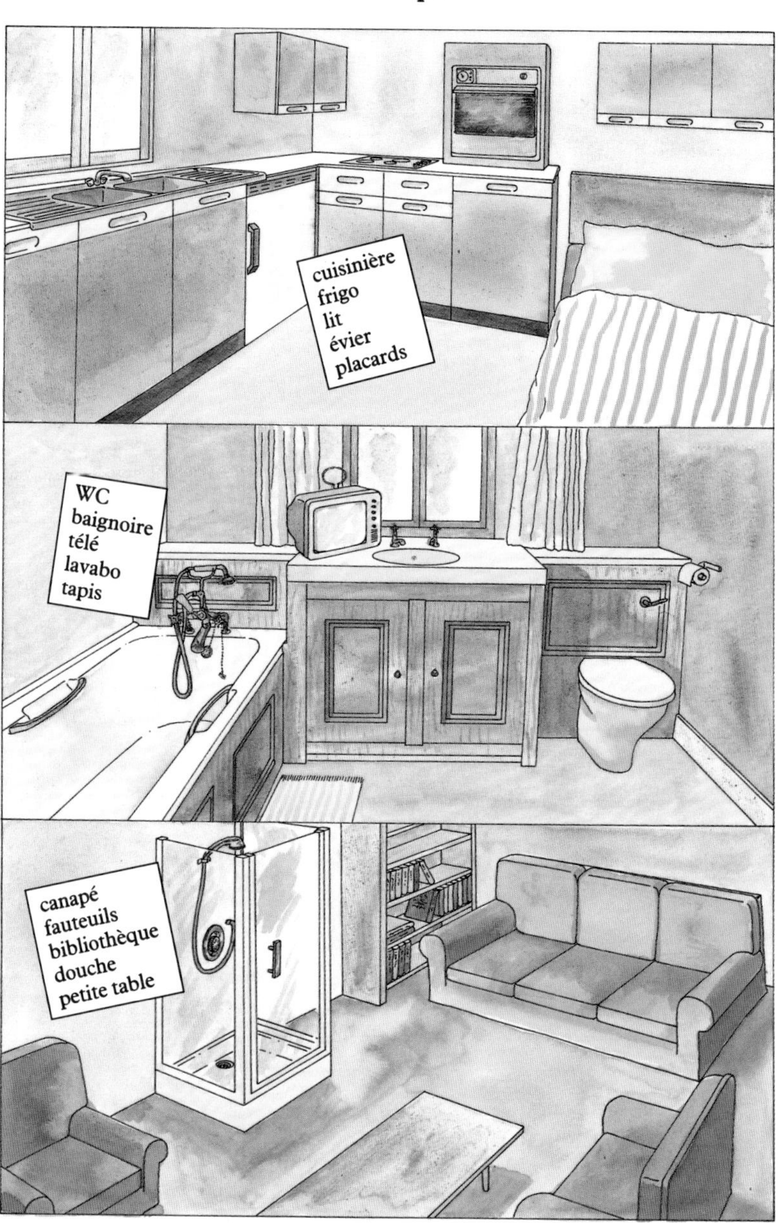

Dans chaque liste, cherchez le mot qui ne va pas!

2 À vous maintenant!
Faites votre puzzle.
Dessinez une pièce avec un meuble 'intrus' et écrivez la liste des meubles.

VOCAB*infos*

Cher...
Je m'appelle Alain, j'ai ... ans. J'habite à ... C'est une grande ville. Voilà la photo de ma famille. Il y a mon père, ma ... et ma ... J'habite dans un ...
Dans mon ... il y a trois ... , un salon, une salle à ... , une cuisine, une ... ... , et un W.C. Nous avons un très grand ... Au fait, j'ai oublié de te donner mon adresse. La voici:

10 rue des Capucines
Paris 15 ème.
Amicalement.
Alain

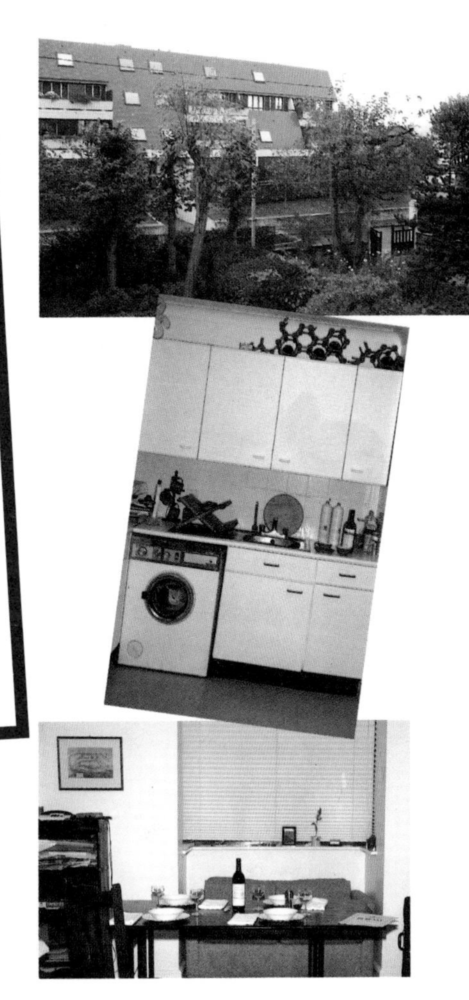

1 Lisez et écoutez.
Alain écrit une lettre et l'enregistre sur cassette.
Lisez la lettre, puis écoutez Alain.
Dans votre cahier, remplissez les trous.

2 À vous maintenant!
Répondez à la lettre d'Alain.
★ Écrivez ou enregistrez votre lettre sur cassette.
Parlez de vous, de votre famille et de votre maison ou appartement.
Collez une photo sur votre lettre!

3 Lisez la lettre de Chloé et regardez les plans.
Quel est le bon plan?

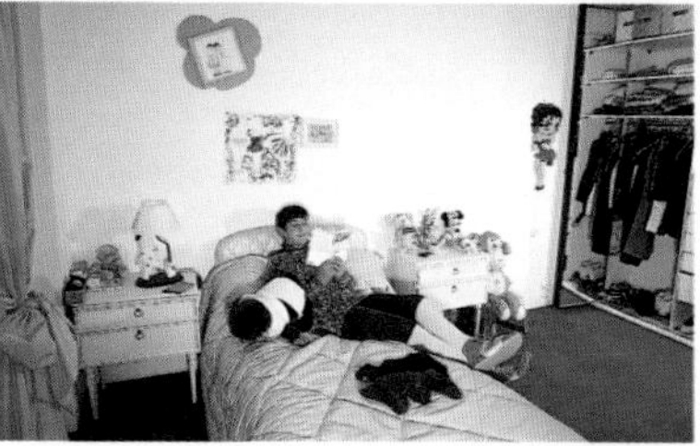

Nous déménageons !

Voici notre nouvelle maison et une photo du salon.
Au rez-de-chaussée, il y a une cuisine avec coin repas, un salon et une salle à manger.
Au premier étage, il y a trois chambres, une salle de bains et des W.C.
Ma chambre est très chouette. Comme tu peux voir sur la photo il y a un lit jaune, une armoire blanche et un bureau blanc.

A bientôt,
Chloé

P.S. Décris-moi ta chambre.

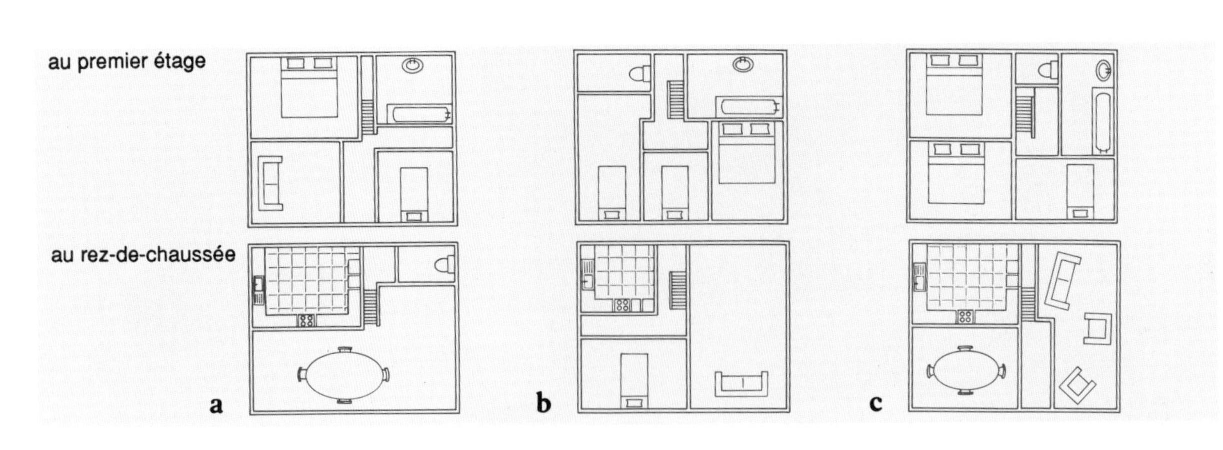

SUPER SOLDES!

EN PROMOTION POUR DEUX SEMAINES SEULEMENT

Pour votre chambre . . .
armoires, commodes,
lits superposés, bureaux.

Pour le salon . . .
canapés-lits, fauteuils,
bibliothèques.

PROMOTION SUR LES MEUBLES ORDINATEURS

I

Lisez cette publicité.

1. What items are on special offer?
2. How long does the offer last?

POUR VOUS AIDER

Chacun chez soi *Everyone at home*
Regardez cette fiche 'Habitation' *Look at this sheet showing kinds of houses*
Choisissez un type d'habitation où vous voulez habiter *Choose the type of dwelling you would like to live in*
Dites où vous habitez à votre camarade *Tell your friend where you live*
Devinez dans quel pays il/elle habite *Guess which country he/she lives in*
Les lieux d'habitation *Places to live in*
Un architecte pas comme les autres *A very unusual architect*
Les petites souris reconstruisent leur maison *The little mice are rebuilding their house*
Voici la maison de leurs rêves *Here is their dream house*
Regardez l'ordinateur! *Look at the computer!*
Comment construire la maison de vos rêves? *How will you build your dream house?*
Écrivez les noms de toutes les pièces *Write in the names of all the rooms*
Les déménagements *Moving house*
Je pense à . . . *I am thinking of . . .*
Vos camarades doivent deviner quelle maison vous recherchez *Your friends have to guess which house you are looking for*
Dans chaque pièce il y a un intrus *In each room there is an intruder*
Quel meuble est dans la mauvaise pièce? *Which piece of furniture is in the wrong room?*
Dans chaque liste cherchez le mot qui ne va pas! *Look for the word in each list which does not belong!*
Alain écrit une lettre et l'enregistre sur cassette *Alain is writing a letter and records it onto cassette*
Nous déménageons! *We are moving house!*

MODULE 18

Ma chambre

Objectifs

How to describe your bedroom

How to understand people describing their room

A *Un coup de fil . . . une chambre sur commande*

Voici les meubles qu'Arthur commande.
Écoutez sa conversation.

une table de nuit

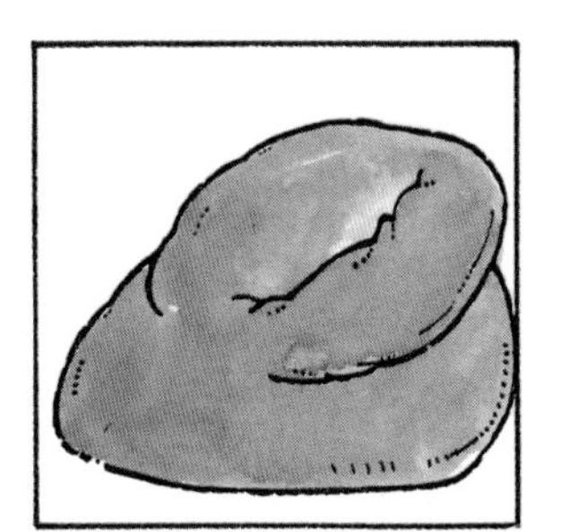

un canapé rose

un lit 'bateau'

une chaise violine

une bibliothèque

une chaîne stéréo

une armoire

une commode

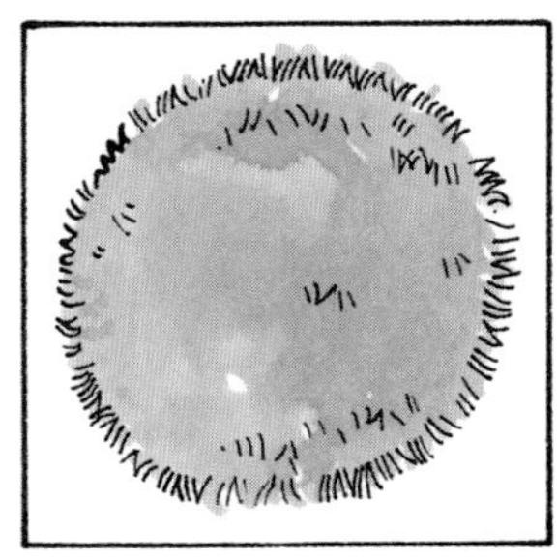

un tapis rose

un meuble rouge
pour la chaîne

un bureau bleu

un ordinateur

une radio

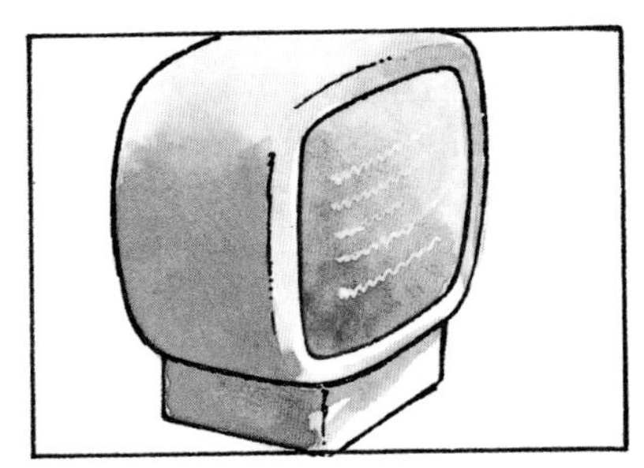

une télé

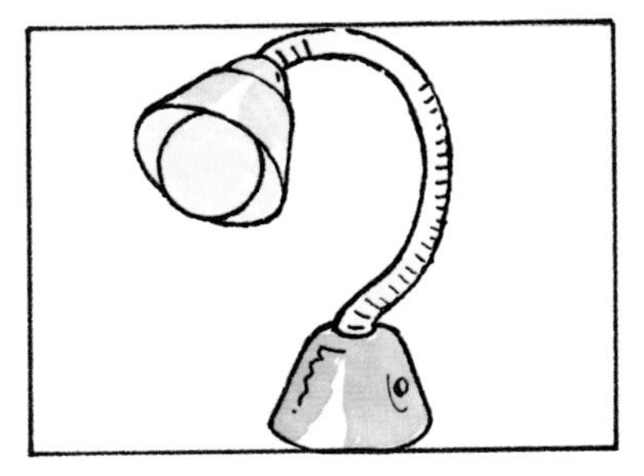

une lampe

Regardez les deux chambres. Quelle est la chambre d'Arthur?

 **B**

Aujourd'hui il y a des prix cassés sur toutes les chambres juniors.
Travaillez avec un(e) partenaire.
Écoutez!
Quelle est la chambre la plus intéressante?
★ Comparez votre réponse avec celle de votre camarade.

Ma chambre

C

À vous maintenant!
Parlez.

★ **1** Regardez les dessins ci-dessous.

Choisissez une chambre.
Faites de la publicité.

★ Voici des expressions utiles.
Écoutez-les et lisez-les!

2 Dites à votre camarade comment est votre chambre.

Exemple: 1. J'ai un grand lit rose. C'est extra!

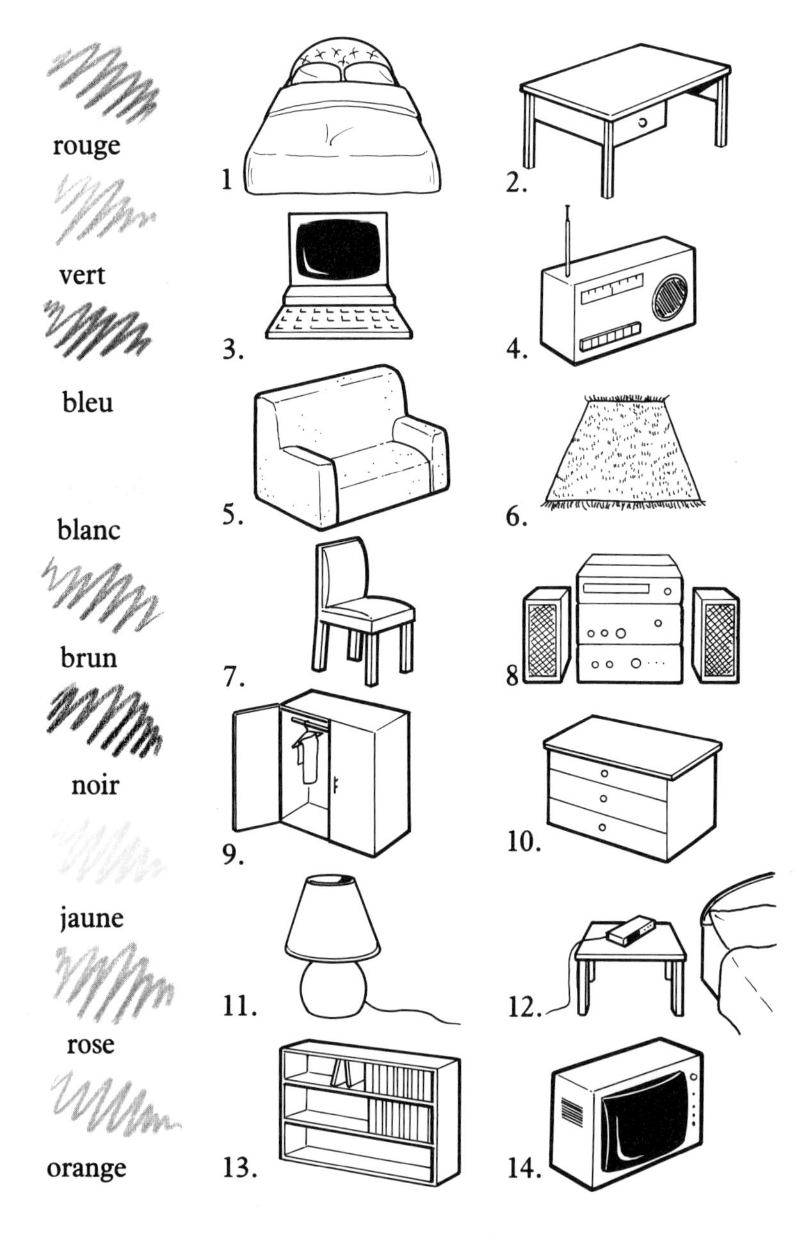

D

Que disent-ils?
Écoutez et écrivez.

1 *J'ai un bureau noir.*

2 *J'ai un lit rouge.*

3 *J'ai un canapé jaune.*

4 *J'ai un ordinateur blanc.*

5 *J'ai une chaise verte.*

6 *J'ai un tapis marron.*

Faites correspondre les illustrations et les bulles.

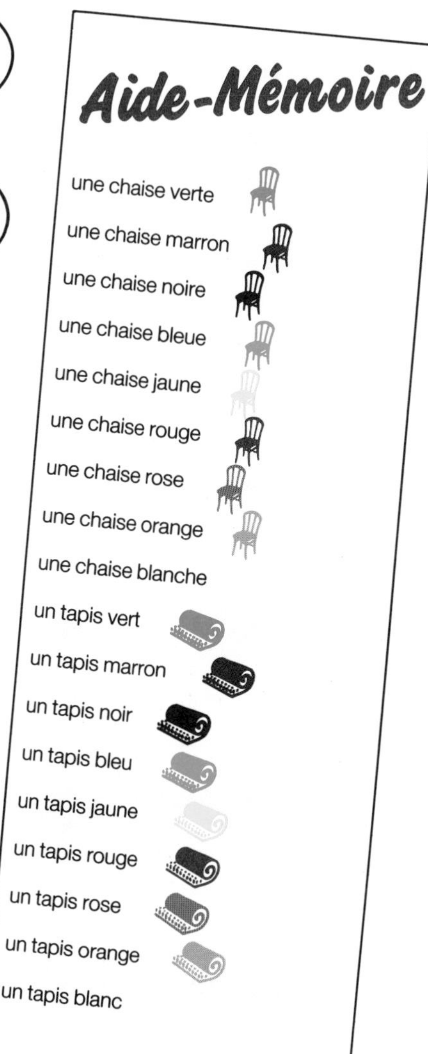

E *Concours: Gagnez une super chambre!*

Meublez votre chambre . . .
Quels sont les meubles les plus importants dans une chambre?
★ Faites une liste par ordre de préférence.
Choisissez des couleurs.
Dessinez la chambre de vos rêves . . .

F

Travaillez avec un(e) partenaire.
★ En secret, dessinez une chambre avec cinq meubles différents, de différentes couleurs.
Votre partenaire cherche les meubles et les couleurs.
Il/elle pose des questions.

Exemple:
Votre partenaire: As-tu un tapis?
Est-il rouge?

As-tu une chaise?
Est-elle blanche?

Flash-Grammaire

ADJECTIVES

Adjectives in French (for example, words like **bleu**, **rose**) match the noun they go with. Here is a general rule of thumb (watch out for exceptions!):

If the noun is masculine and there is only one of them (*singular*), do not add anything. For example:
un canapé bleu

If the noun is feminine, just add an **e**. For example:
une chaise bleu**e**

If the noun is feminine and there is more than one (*plural*), add **es**. For example:
des chaises bleu**es**

If the noun is masculine plural, just add an **s**. For example:
des canapés bleu**s**

Here is an exception: un tapis blanc
une chaise blan**che**

Position of adjectives

The colour adjectives come immediately after the noun they go with. For example:
un canapé blanc

Note that **marron** (*brown*) is a special adjective. It never changes!
un canapé marron, des canapé**s** marron

G Puzzle: Chez la famille Farfelue

a ANSOL

b HBMCAER

c UIENSIC

d LALSE A GAEMNR

e ASLEL ED SABNI

f VCEA

- cellar
- bathroom
- kitchen
- lounge
- dining-room
- bedroom

★ Décodez les plaquettes.
Quelle plaquette va avec quelle pièce?

H

Votre chambre, c'est votre domaine. Que faites-vous?

On pose la question à Arthur. Voici sa chambre et ses réponses:

Aide-Mémoire

au rez-de-chaussée *on the ground floor*
au premier étage *on the first floor*
la cuisine *the kitchen*
la salle à manger *the dining room*
la salle de bains *the bathroom*
la chambre de mes parents *my parents' bedroom*
ma chambre *my bedroom*
le salon *the lounge*
la salle à manger *the dining-room*
le coin repas *the breakfast room*
les WC }
les toilettes } *the toilet*
le garage *the garage*
le sous-sol *the basement*
le grenier *the attic*
la cave *the cellar*

Dans ma chambre il y a *In my bedroom there's . . .*
un lit (bateau) *a (bunk) bed*
un tapis *a carpet*
une armoire *a wardrobe*
une chaise (violine) *a (swivel) chair*
une table *a table*
une lampe *a lamp*
des peluches *some soft toys*
un fauteuil *an armchair*
une commode *a chest-of-drawers*
une table de nuit *a bedside table*
une chaîne *a hi-fi*
un bureau *a desk*
des lits superposés *bunk-beds*
un placard *a cupboard*
un canapé *a sofa*
une bibliothèque *a bookcase*
un ordinateur *a computer*

Comparez votre réponse avec celle de votre camarade *Compare your answer with your friend's*
Regardez les dessins ci-dessous *Look at the drawings below*
Voici des expressions utiles *Here are some useful expressions*
Faites une liste par ordre de préférence *Write a list in order of preference*
En secret, dessinez . . . *Without anyone seeing, draw . . .*
Décodez les plaquettes *Unscramble the nameplates*

VOCAB*infos*

1 Qui a quelle chambre?
Regardez les illustrations et lisez ces trois lettres.

1.

Ma chambre est très petite – trop petite!
Dans ma chambre j'ai un lit, une chaise, une commode et une étagère.
Je fais mes devoirs dans ma chambre.

Céline

2.

J'ai une assez grande chambre.
Dans ma chambre j'ai un lit, une table, une chaise, un placard, une télé et aussi une chaîne hi-fi.
J'adore écouter des disques dans ma chambre.

Suzanne

3.

Je partage ma chambre avec mon frère. Dans ma chambre il y a deux lits superposés, un bureau, une chaise violine et des posters.

Marc.

a

b

c

Faites correspondre les chambres aux trois personnes.

2 À vous maintenant!
Elle est comment votre chambre?
Écrivez une description en français.

Flash-Grammaire

AVEZ-VOUS UNE MÉMOIRE D'ÉLÉPHANT?

Did you know that an elephant never forgets his verbs?
French verbs fall into three main groups:

-er verbs	**-ir** verbs	**-re** verbs
jou**er** *to play*	fin**ir** *to finish*	attend**re** *to wait for*

1 Écoutez la cassette et regardez les verbes!
What do you notice? Which endings sound the same? List them.
Listen again and look at the verbs again.
Which endings are spelt differently? List them.

2 Beware! Some verbs do not follow this pattern. Read these and listen to the cassette at the same time.

faire *to do, to make*	**avoir** *to have*	**aller** *to go*
je fais	j'ai	je vais
tu fais	tu as	tu vas
il fait	il a	il va
elle fait	elle a	elle va
nous faisons	nous avons	nous allons
vous faites	vous avez	vous allez
ils font	ils ont	ils vont
elles font	elles ont	elles vont

À vous maintenant!
Écoutez la cassette!
Complétez les conversations! Écrivez-les!

Au collège

– Tu jou___ de la guitare?

– Oui. Je jou___ de la guitare et du piano.

– Et Marie et Anne?

– Elles jou___ de la trompette.

Au café

– Tu fin___ tes frites?

– Attends s'il te plaît! Je fin___ mon coca!

– Et les deux garçons là-bas?

– Ils fin___ leurs sandwichs.

– Tu attend___ Jean?

– Non. J'attend___ Nina et Paul.

– Où est Nina?

– Elle attend___ Marie.

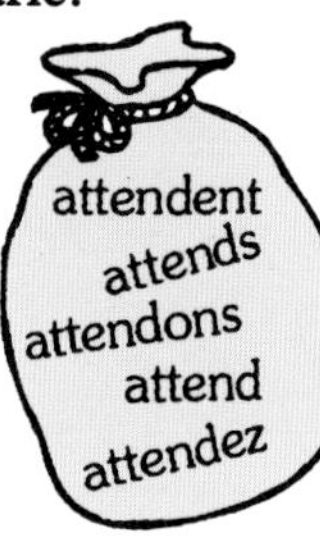

À la maison

– Je fai___ les sandwichs. Et toi? Tu fai___ la salade?

– Oui. Et Georges?

– Il fai___ un gâteau!

– Et Anne et Claudine?

– Elles f___ des biscuits.

– J'ai une télé. Et toi? Tu ___ une télé?

– Non. J'___ une chaîne hi-fi.

Nous av___ des disques de Madonna.

Mes parents ___ des disques de Mozart.

Et mon frère ___ des disques de chanteurs français.

– Vous all___ au café?

– Non. Nous all___ en boîte.

– Et Claude?

– Il v___ au café avec Marie.

Après ils v___ à la maison. Et toi, Alain?

– Moi? Je v___ à la piscine!

Testez votre mémoire

Au voleur!

1 Faites une liste de tous les meubles.

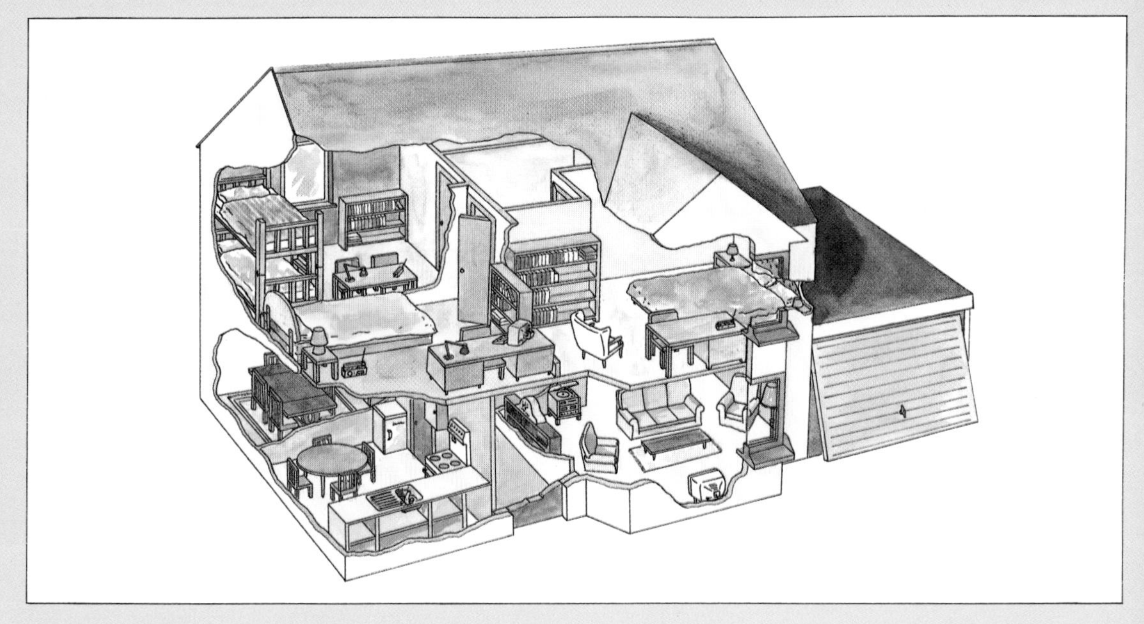

2 Faites une liste des cinq meubles qui manquent.

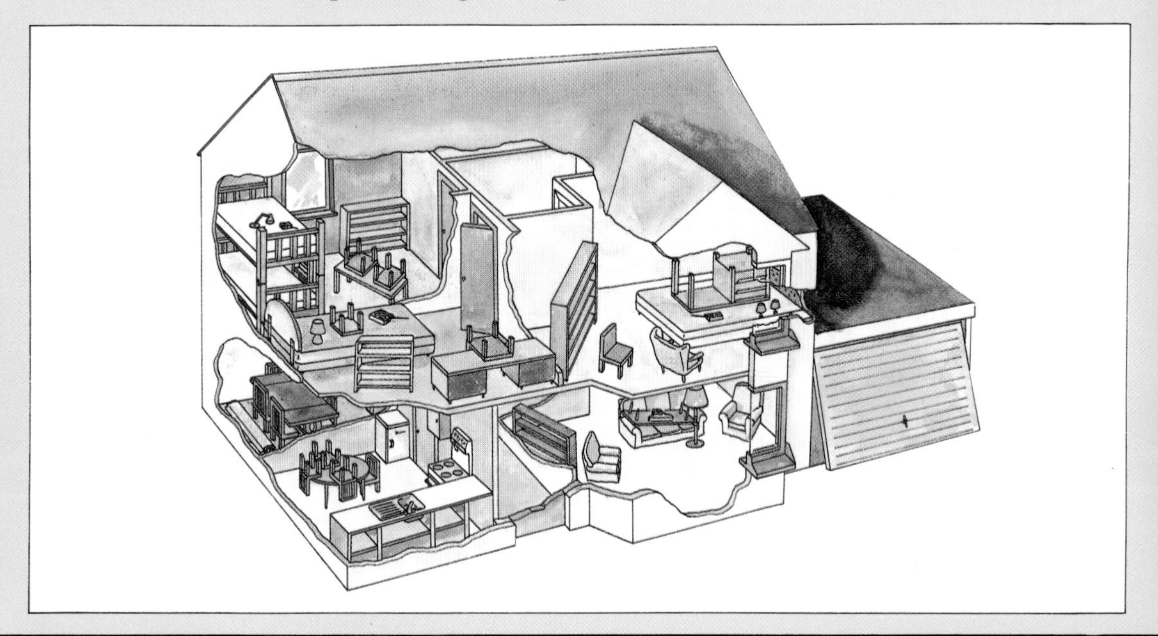

POUR VOUS AIDER

Un coup de fil *A telephone call*
Une chambre sur commande *A bedroom on order*
Voici les meubles qu'Arthur commande *Here's the furniture Arthur orders*
Quelle est la chambre d'Arthur? *Which is Arthur's bedroom?*
Quelle est la chambre la plus intéressante? *Which is the most interesting bedroom?*
Dites à votre camarade comment est votre chambre *Tell your friend what your bedroom is like*
Meublez votre chambre *Furnish your room*
Quels sont les meubles les plus importants dans une chambre? *Which are the most important bits of furniture in a bedroom?*
Quelle plaquette va avec quelle pièce? *Which nameplate goes with each room?*
Votre chambre, c'est votre domaine *Your bedroom is yours to do what you like in*
Qui a quelle chambre? *Which room is whose?*
Au voleur! *Stop thief!*
Faites une liste des cinq meubles qui manquent! *List the five missing pieces of furniture!*

C'EST TON PROFIL

Coche ce que tu as appris.

Maintenant je peux . . .	*bien*	*moyen*	*pas très bien*	Si tu ne peux pas, mets une croix ☒ et révise la page . . .
	Si tu es prêt, tu coches ☑			
dire où j'habite: J'habite en Angleterre, etc.	☐	☐	☐	149
dire: J'habite dans une maison un appartement, etc.	☐	☐	☐	150
demander: Où habites-tu?	☐	☐	☐	151
répondre: J'habite dans une grande ville, etc.	☐	☐	☐	151
dire: Voici ma maison/mon appartement Il y a . . . au rez de chaussée	☐	☐	☐	158
donner et comprendre les couleurs	☐	☐	☐	162
dire et comprendre: Dans ma chambre j'ai un canapé rose et . . .	☐	☐	☐	162
demander: As-tu un tapis? Est-il bleu?, etc.	☐	☐	☐	163
parler de mes activités: e.g. Je joue avec mon ordinateur	☐	☐	☐	164
écrire une lettre pour parler de ma maison/mon appartement et pour décrire ma chambre	☐	☐	☐	
J'ai enregistré ma cassette	☐	☐	☐	

MODULE 19

Bonne rentreé!

Objectifs

How to recognise and talk about what you use in school

How to understand and use classroom language

Bien équipé pour la rentrée!

A *Qu'achètent-ils pour la rentrée?*

Écoutez la cassette.

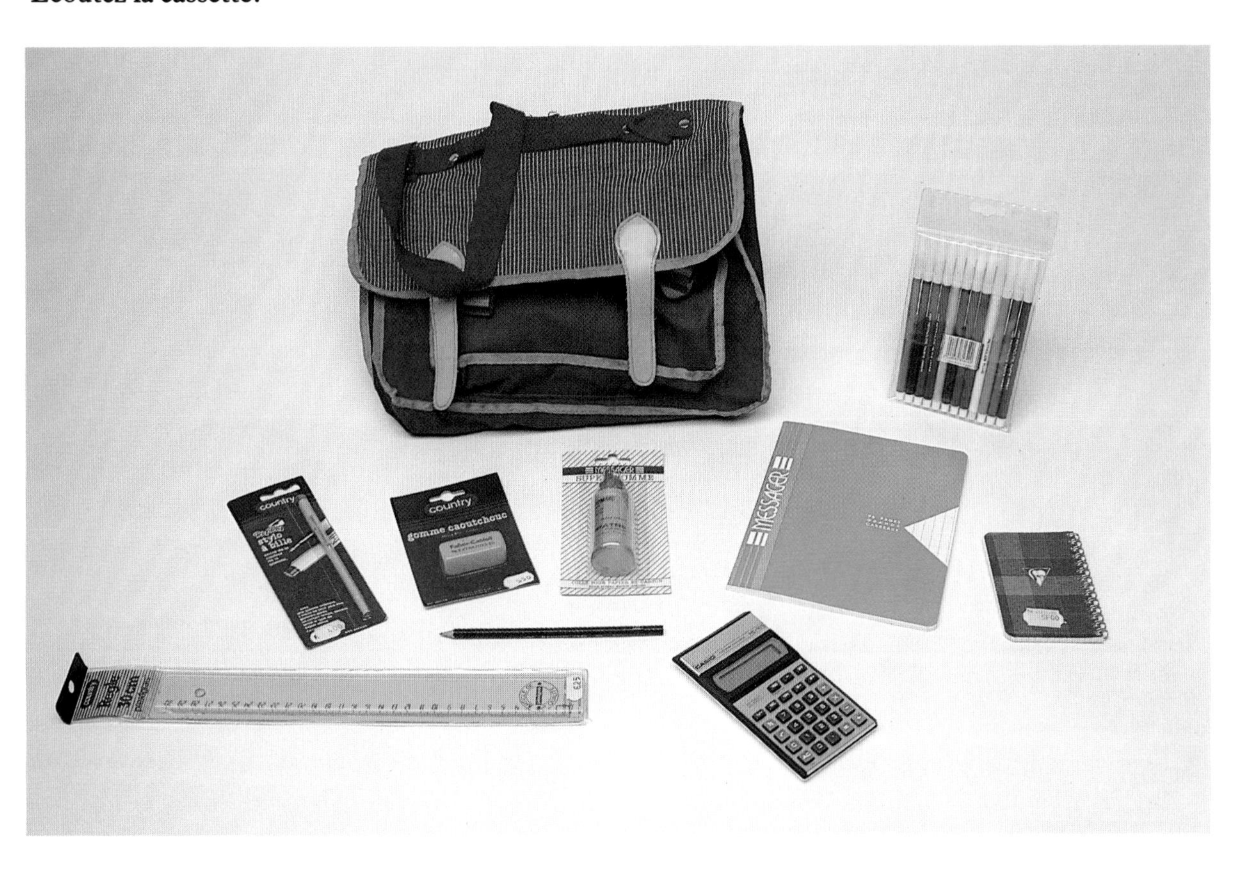

Écoutez encore une fois.
★ Copiez cette liste dans votre cahier et cochez les objets mentionnés.

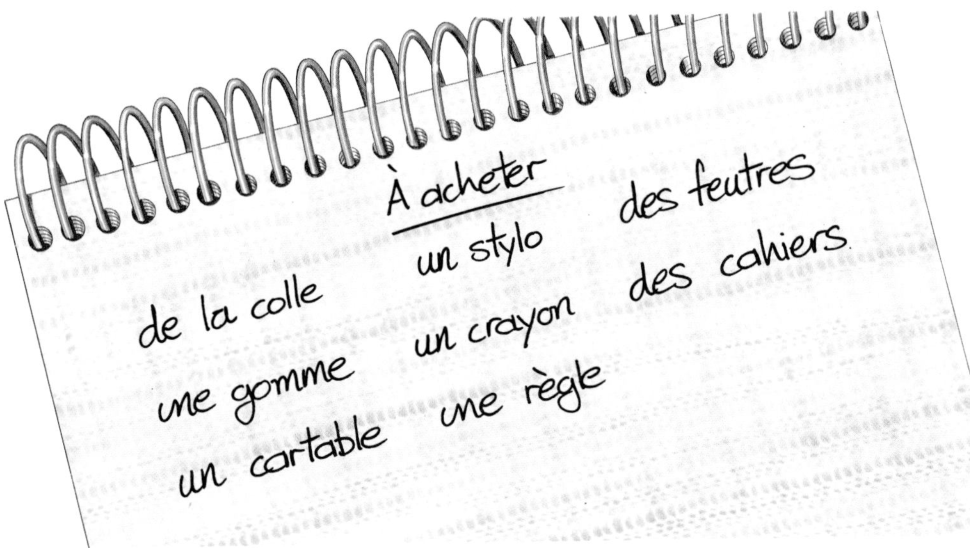

B

Identifiez tous ces objets et trouvez-les dans la brochure.

Exemple: le numéro un – c'est un stylo.

1.

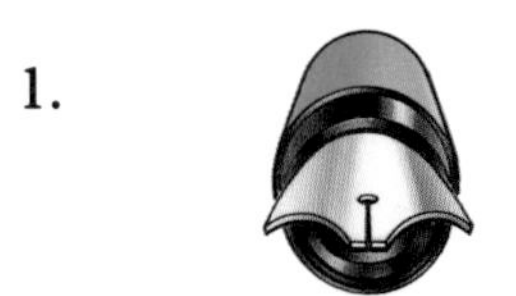

2.

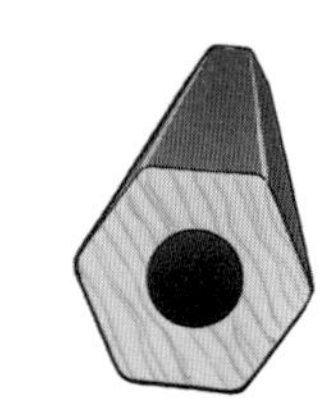

3.

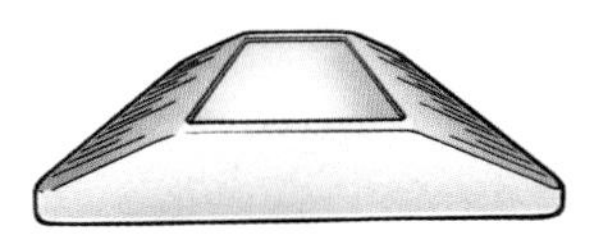

4.

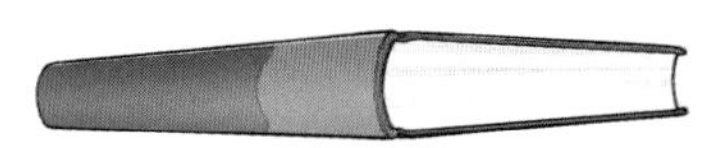

5.

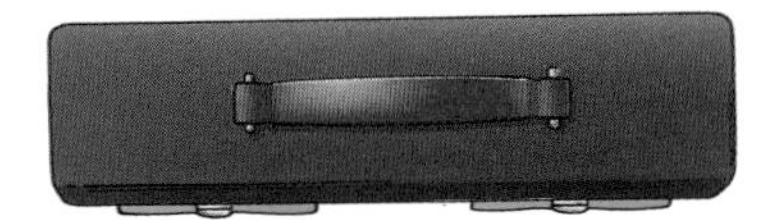

6.

7.

8.

ON ACHÈTE LES AFFAIRES DE RENTRÉE !

Et toi? Achètes-tu le matériel scolaire au dernier moment? Le fais-tu avec tes parents ou tout seul?

SCÉNARIO : DOMINIQUE DE SAINT MARS. DESSIN : BERNADETTE DESPRÉS. COULEUR : BERTRAND CHAMPEL

C *Des prix 'récré'*

Écoutez les offres spéciales.
Faites une liste des offres spéciales 'rentrée'.

D

Parlez.
À vous maintenant!
Qu'achetez-vous pour la rentrée?
★ Suivez les photos.

Exemple: Moi, j'achète une règle!

E

Écrivez maintenant votre 'pense-bête' rentrée.
Voici un exemple:

des feutres
une gomme
- - - - - - - - -
- - - - - - - - -

F

Tout le matériel scolaire est dans ce puzzle.

Exemple: Il y a deux stylos.

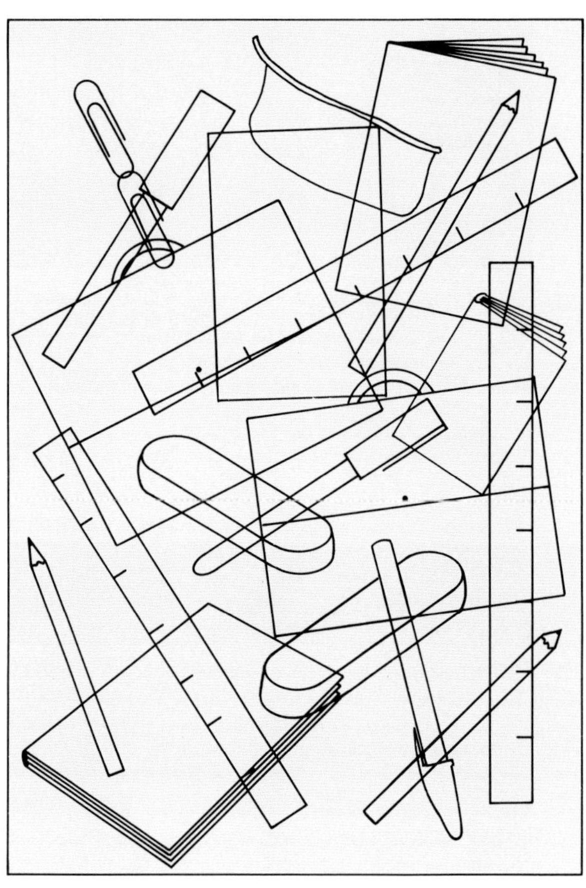

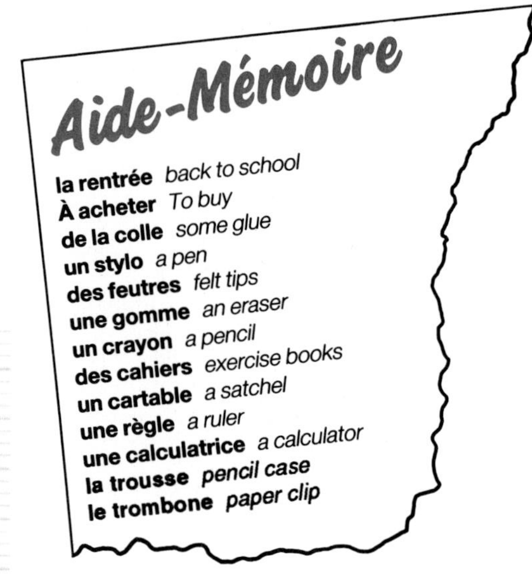

G Puzzle: L'objet mystère

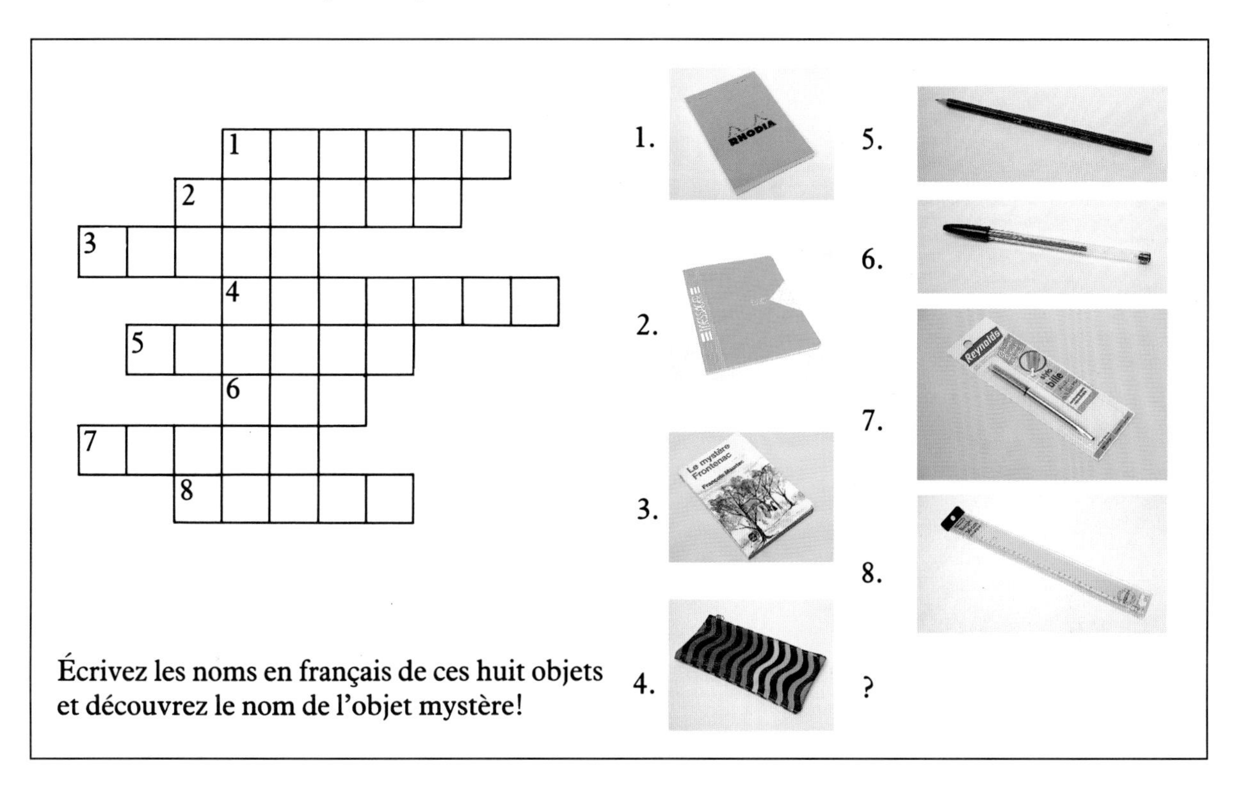

Écrivez les noms en français de ces huit objets et découvrez le nom de l'objet mystère!

H Le jour J – jour de la rentrée

1 Écoutez et regardez.

En classe

2 Écoutez encore une fois.
Faites correspondre les commandes aux dessins.
Écrivez la lettre de chaque dessin avec le numéro de la commande.

Exemple: **a** = 4

I

À vous maintenant!
★ Prenez la place du professeur et donnez des ordres.

Exemple: Entrez!

le prof

J

1 Regardez les illustrations et écoutez la cassette. Que disent-ils?

2 Lisez.
Donnez la bonne bulle à la bonne personne.

Je ne vois pas le tableau!

J'ai oublié mon livre.

Non, je ne comprends pas.

Je n'ai pas de stylo.

Je n'entends pas la bande.

Je suis malade.

E

F

Aide-Mémoire

EN CLASSE

Entrez! *Come in!*
Asseyez-vous! *Sit down!*
Prenez vos livres! *Take out your books!*
Écoutez la cassette! *Listen to the tape!*
Regardez le tableau! *Look at the board*
Répétez! *Repeat!*
Levez-vous! *Stand up!*
L'appel! *The register*
Silence! *Silence!*
Puis-je aller aux toilettes? *Can I go to the toilet?*
J'ai oublié mon livre *I have forgotten my book*
Je ne comprends pas *I don't understand*
Je n'ai pas de stylo *I haven't got a pen*
Je n'ai pas fait mes devoirs *I haven't done my homework*
Je suis malade *I am ill*
Voulez-vous répéter cela s'il vous plaît? *Would you like to repeat that, please?*

K

1 Écoutez ces questions.
Qu'allez-vous répondre?

Quel âge as-tu?

Comment t'appelles-tu?

Tu es en quelle classe?

2 Travaillez avec votre partenaire.
Voici votre identité.
Choisissez la bonne réponse.
À tour de rôle!

1. Sylvie (16)

2. Danielle (14)

3. Yasmine (13)

4. Paul (12)

5. Antoine (15)

6. Luc (11)

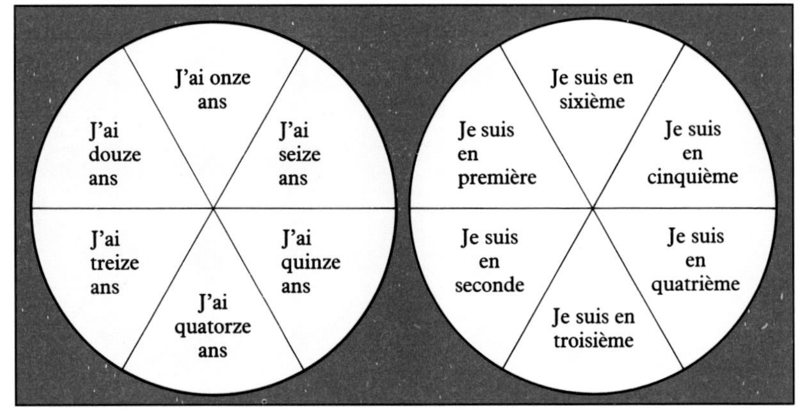

Exemple 1: Je m'appelle Sylvie.
J'ai seize ans.
Je suis en première.

Enregistrez-vous!

Cochez les objets mentionnés *Tick the objects mentioned*
Suivez les photos *Follow the photos*
Prenez la place du professeur et donnez des ordres *Be the teacher and give instructions*
Donnez la bonne bulle à la bonne personne *Put the right speech bubble with the right person*
Écoutez ces questions. Qu'allez-vous répondre? *Listen to these questions. How will you reply?*
Enregistrez-vous! *Record yourself!*

Flash-Grammaire

Être ***and*** **avoir**

Être and **avoir** are the verbs for 'to be' and 'to have'. **Avoir** is used in several situations for which in English you would use 'to be'. This happens, for example, when talking about how old you are. In French we say **J'ai douze ans**, which means literally in English *I have 12 years.* You may often hear French children make this mistake in English.

In French, these two are called irregular verbs. Remember that you must learn them by heart!

être *to be*	**avoir** *to have*
je suis	j'ai
tu es	tu as
il est	il a
elle est	elle a
nous sommes	nous avons
vous êtes	vous avez
ils sont	ils ont
elles sont	elles ont

Exercice

À vous maintenant!

L'ordinateur a un virus. Il y a plein de trous.

Copiez cette lettre dans votre cahier et remplissez les trous.

Chère Chantal,

Je . . . . . . Anglais. J' . . . . . . quatorze ans. J' . . . . . . trois frères et une sœur. Ma mère . . . . . . quarante ans et mon père . . . . . . trente-huit ans. Nous . . . . . . une grande maison. Dans ma chambre j' . . . . . . un poster. Ma chambre . . . . . . très belle.

À bientôt,

Peter

 **L**

1 Écoutez Christophe, Corinne, Julien et Marilyn. Remplissez leurs fiches signalétiques.

N'écrivez pas sur cette page

1.

Nom	
Âge	
Classe	

2.

Nom	
Âge	
Classe	

3.

Nom	
Âge	
Classe	

4.

Nom	
Âge	
Classe	

2 À vous maintenant!
Écrivez.
Remplissez votre fiche signalétique.

Nom . . . .
Âge . . . .
Classe . . . .

Copiez ces fiches dans votre cahier.

*info*CULTURE

L'ÉCOLE EN FRANCE

- Pas d'uniforme
- Les parents achètent le matériel scolaire
- Vous travaillez le samedi matin . . .
- Vous ne travaillez pas le mercredi après-midi
- À l'âge de 11 ans vous êtes en sixième
  À l'âge de 12 ans vous êtes en cinquième
  À l'âge de 13 ans vous êtes en quatrième . . .

- If you visit France during the summer holidays you are likely to see signs similar to these in shop windows:

La rentrée des classes

Rentrée très classe!

Matériel scolaire

Dépêchez-vous **Prix bon x'élèves**

Rentrée: Équipez-vous!

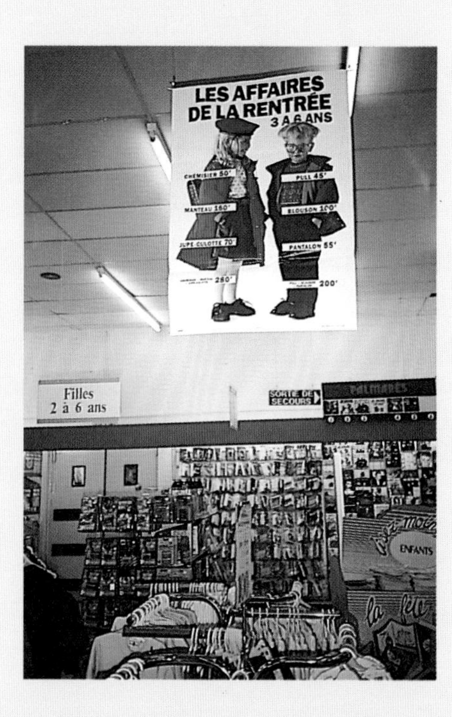

They all refer to 'back to school' time – the first week in September, which is loved or dreaded by children and parents alike!

- French schoolchildren don't have to wear a school uniform . . .

. . . but most of them do wear the same things: casual clothes such as jeans, trainers, sweatshirts, etc.
What would you wear to school if you were staying in France?

- French children have to buy their own school equipment, including exercise books!

- The school day in France is quite long. Many schools start at 8.00 a.m. and finish at 5.00 p.m. However, lunchtime might last for two hours!

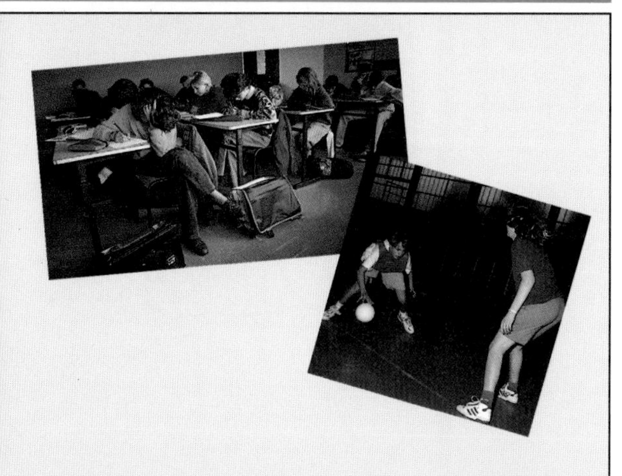

- French schoolchildren may have classes on a Saturday morning, but they also have *la pause du mercredi* – Wednesday afternoon is free.
  How would you feel about that?
- The French school system numbers the years differently:

English	*French*
Year 7	sixième
Year 8	cinquième
Year 9	quatrième
Year 10	troisième
Year 11	seconde
Sixth-form college	première terminale

Les élèves

Le directeur

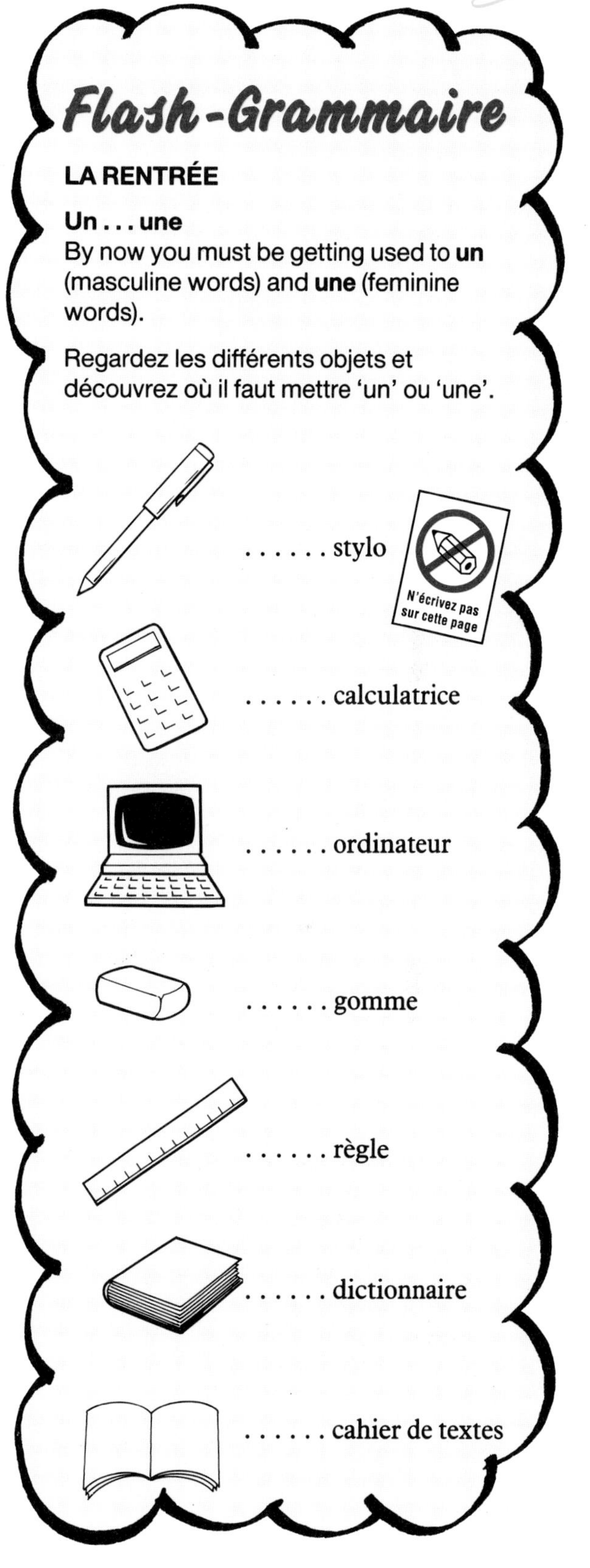

Flash-Grammaire

LA RENTRÉE

Un . . . une
By now you must be getting used to **un** (masculine words) and **une** (feminine words).

Regardez les différents objets et découvrez où il faut mettre 'un' ou 'une'.

. . . . . . stylo

. . . . . . calculatrice

. . . . . . ordinateur

. . . . . . gomme

. . . . . . règle

. . . . . . dictionnaire

. . . . . . cahier de textes

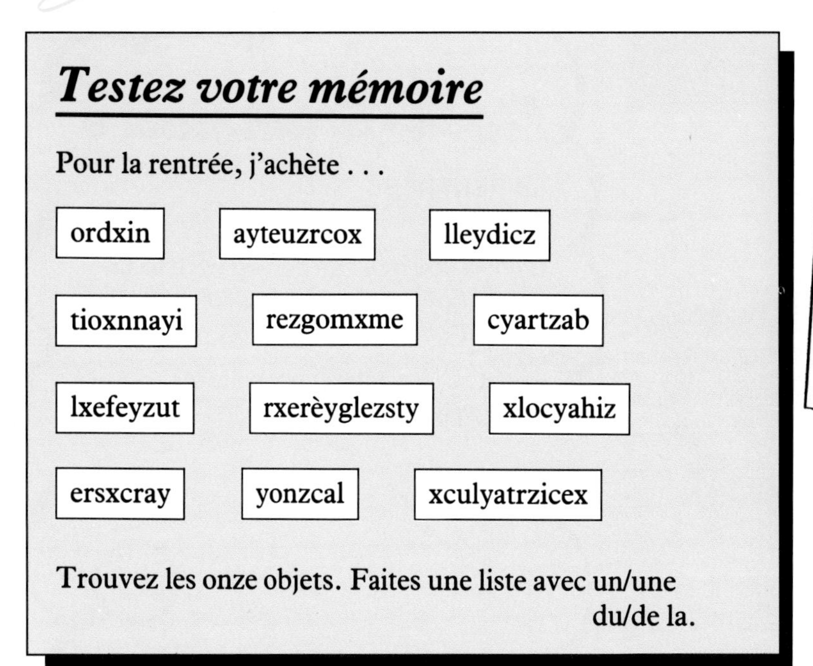

Testez votre mémoire

Pour la rentrée, j'achète . . .

ordxin	ayteuzrcox	lleydicz
tioxnnayi	rezgomxme	cyartzab
lxefeyzut	rxerèyglezsty	xlocyahiz
ersxcray	yonzcal	xculyatrzicex

Trouvez les onze objets. Faites une liste avec un/une du/de la.

Aide-Mémoire

Je suis en sixième *I am in year 7*
Je suis en cinquième *I am in year 8*
Je suis en quatrième *I am in year 9*
Je suis en troisième *I am in year 10*
Je suis en seconde *I am in year 11*
Je suis en première *I am in year 12*
Je suis en terminale *I am in year 13*
Tu es en quelle classe? *Which form are you in?*

POUR VOUS AIDER

Bonne rentrée! *Back to school!*
Bien équipé pour la rentrée! *Well equipped for going back to school!*
Identifiez tous ces objets *Can you identify all these objects?*
Faites une liste des offres spéciales 'rentrée' *List all the special offers for going back to school*
Remplissez votre fiche signalétique *Fill in your identity card*
Découvrez où il faut mettre 'un' ou 'une' *Find out where you put **un** or **une***

MODULE 20

Au collège

Objectifs

How to recognise and talk about school subjects
How to discuss your likes and dislikes
How to express an opinion

A *Parlez de votre emploi du temps*

C'est lundi aujourd'hui.
Samuel et Véronique discutent.
Écoutez-les.

Écoutez-les encore une fois et regardez les emplois du temps.
Quel est celui de Véronique?
Quel est celui de Samuel?
Trouvez la bonne réponse, **A** ou **B**.

A

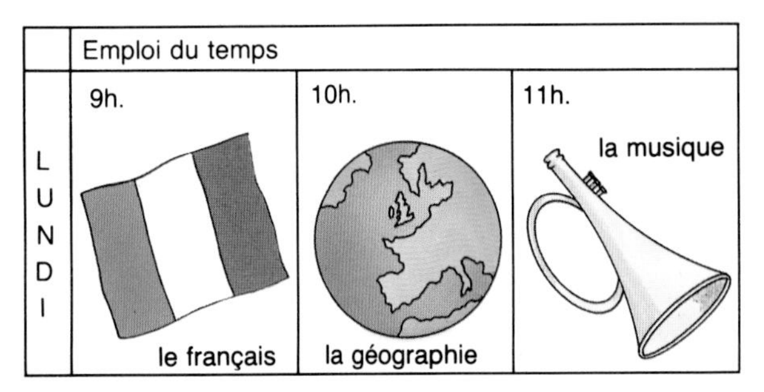

B

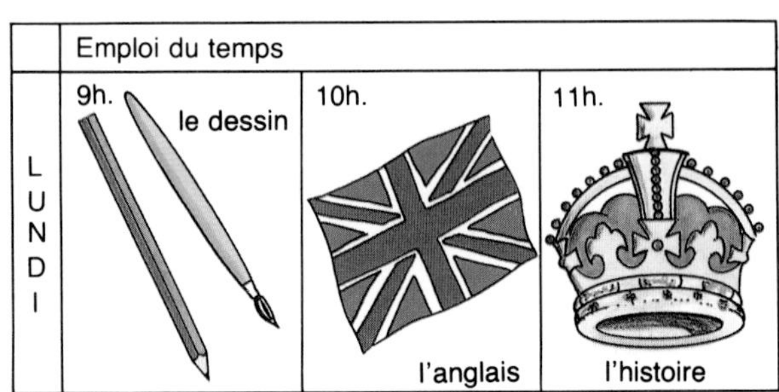

B

Remplacez les illustrations par les matières.

Emploi du temps			ANNEE SCOLAIRE ...	
LUNDI	MARDI	MERCREDI	JEUDI	VENDREDI

Pour vous aider, voici les matières:

anglais
histoire
maths
français
allemand
espagnol
informatique
sciences
travaux manuels
dessin
instruction civique
musique
géographie
éducation physique

Faites comme eux. Prenez la parole! *Do it like them. Speak!*
Fais lire tes histoires à tes amis *Read your stories to your friends*
Dessine des posters *Draw some posters*
Compose des chansons *Compose some songs*

C *Puzzle: Tracmots–matières*

S	L	E	U	N	A	M	X	U	A	V	A	R	T
S	B	G	É	O	G	R	A	P	H	I	E	R	O
E	C	Y	U	D	N	Y	C	X	A	C	L	E	S
U	R	I	N	F	O	R	M	A	T	I	Q	U	E
Q	G	A	E	G	Q	G	E	R	W	D	M	S	A
I	N	F	B	N	I	U	O	V	N	R	F	R	C
T	T	H	A	O	C	P	T	A	I	P	R	G	O
A	M	I	T	E	S	E	M	S	C	N	A	S	L
M	U	S	A	Z	B	E	S	P	A	G	N	O	L
E	S	T	R	H	L	M	E	D	L	E	Ç	M	É
H	I	O	M	L	S	I	A	L	G	N	A	R	G
T	Q	I	A	L	B	F	N	R	G	H	I	F	E
A	U	R	L	O	C	D	Q	D	E	S	S	I	N
M	E	E	R	È	I	T	A	M	A	G	K	F	L

Il y a treize matières cachées dans ce tracmots.
Pouvez-vous les trouver?
Écrivez-les!

 **D**

Écoutez et regardez les illustrations.

LUNDI

c

d

e

f

Vrai ou Faux
Copiez cette grille dans votre cahier.
Cochez la bonne case.

	Vrai	*Faux*
a		
b		
c		
d		
e		
f		

N'écrivez pas sur cette grille

E

À vous maintenant!
Parlez.
Posez des questions à votre camarade.

Partenaire A

1A.

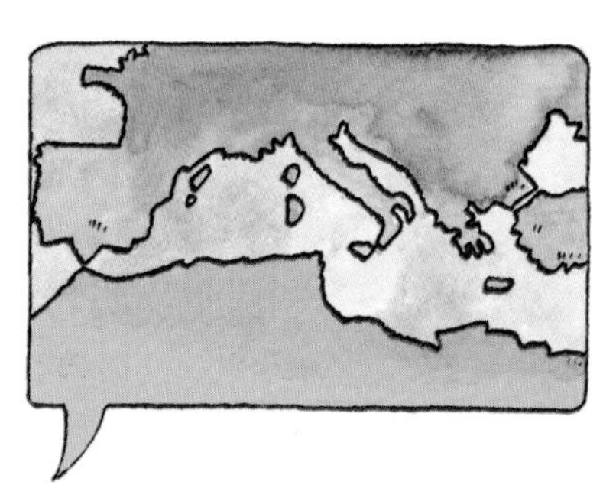

Tu as géo aujourd'hui?

Partenaire B

1B.

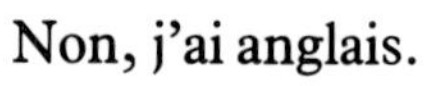

Non, j'ai anglais.

2A.

2B.

3A.

3B.

4A.

4B.

Flash-Grammaire

ASKING QUESTIONS

Make questions by:

1. Raising the tone of your voice (*intonation*).
   Tu aimes les maths? ↗
   Vous avez anglais aujourd'hui? ↗
2. Using a question word or a question phrase. For example:
   Comment t'appelles-tu?
   What is your name?
   Où habites-tu? *Where do you live?*
   Quel âge as-tu? *How old are you?*
   Qui est-ce? *Who is it?*
3. Using **Est-ce que . . . ?** in front of a statement. For example:
   Est-ce que tu aimes les maths?

F

Écrivez.
Faites votre emploi du temps en couleurs!
Choisissez une couleur pour chaque matière.

Exemple: maths→jaune
anglais→rouge
sciences→vert

EMPLOI DU TEMPS

NOM
CLASSE

LUNDI	MARDI	MERCREDI	JEUDI	VENDREDI	SAMEDI
30	30	30	30	30	30
9	9	9	9	9	9
maths 30	30	30	30	30	30
10	10	10	10	10	10
anglais 30	30	30	30	30	30
11	11	11	11	11	11
sciences 30	30	30	30	30	30
12	12	12	12	12	12
30	30	30	30	30	30
13	13	13	13	13	13
30	30	30	30	30	30
14	14	14	14	14	14
30	30	30	30	30	30
15	15	15	15	15	15
30	30	30	30	30	30
16	16	16	16	16	16
30	30	30	30	30	30
17	17	17	17	17	17
30	30	30	30	30	30

N'écrivez pas sur cette page

G *Vos goûts*

Vous aimez, vous détestez . . . ?
Pourquoi?
Écoutez!

1.

2.

3.

4.

5.

6.

 H

Écoutez encore une fois.
Ils donnent leur opinion sur les matières.
Écrivez-les dans la bonne case.

	J'aime	*Je n'aime pas*	*Je déteste*
Marion			
Fabien			
Émilie			
Antoine			
Patrick			
Joëlle			

N'écrivez pas sur cette grille

I

À vous maintenant!

★ Faites comme eux.

★ Prenez la parole!

Quelles matières aimez-vous?
Quelles matières détestez-vous?
Pourquoi? Regardez ces opinions!

C'est intéressant.	C'est ennuyeux.
C'est super.	C'est bidon.
C'est marrant.	C'est nul.
C'est facile.	C'est difficile.

Aide-Mémoire

AU COLLÈGE

Quel est ton emploi du temps? *What is your timetable?*
Qu'est-ce que tu as aujourd'hui? *What do you have today?*
Tu as maths? *Do you have maths?*
Oui, j'ai une heure de maths *Yes, I have an hour of maths*

un cours *a lesson*
J'ai deux cours l'après-midi *I have two lessons in the afternoon*
les matières *subjects*
anglais *English*
histoire *history*
maths *maths*
français *French*
allemand *German*
espagnol *Spanish*
informatique *IT*
sciences *science*
travaux manuels *CDT*
dessin *art*
instruction civique *social studies*
musique *music*
géographie *geography*
éducation physique *PE*
la récréation *break*

J'aime *I like*
Je n'aime pas *I don't like*
J'adore *I adore*
Je déteste *I detest*
Quelles matières aimes-tu/aimez-vous? *What subjects do you like?*
Quelles matières n'aimes-tu pas? *What subjects don't you like?*
pourquoi? *why?*
parce que . . . *because . . .*
C'est intéressant *It's interesting*
C'est super *It's great*
C'est marrant *It's funny*
C'est facile *It's easy*
C'est ennuyeux *It's boring*
C'est nul *It's rubbish*
C'est difficile *It's hard*
Mes matières préférées sont . . . *My favourite subjects are . . .*

J *Questionnaire école*

1 Remplissez ce questionnaire.
Collez une photo!

QUESTIONNAIRE

Photo

Nom ....

Prénom ....

Nationalité ....

Âge ....

Classe ....

N'écrivez pas sur cette page

Adresse ....

Matières ☺ ....

Matières ☹ ....

Profs que j'aime ....

Signature ....

2 Écrivez une liste de matières que vous aimez.
Écrivez une liste de matières que vous détestez.
Illustrez vos listes!

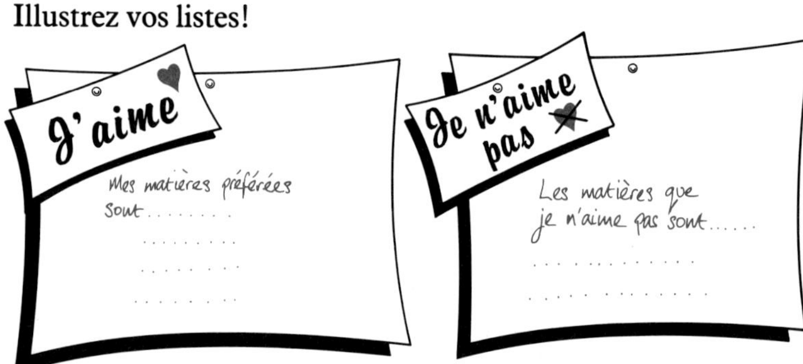

K

Regardez ce petit ordinateur . . . Suivez les indications et créez votre ordinateur 'rentrée des classes'.

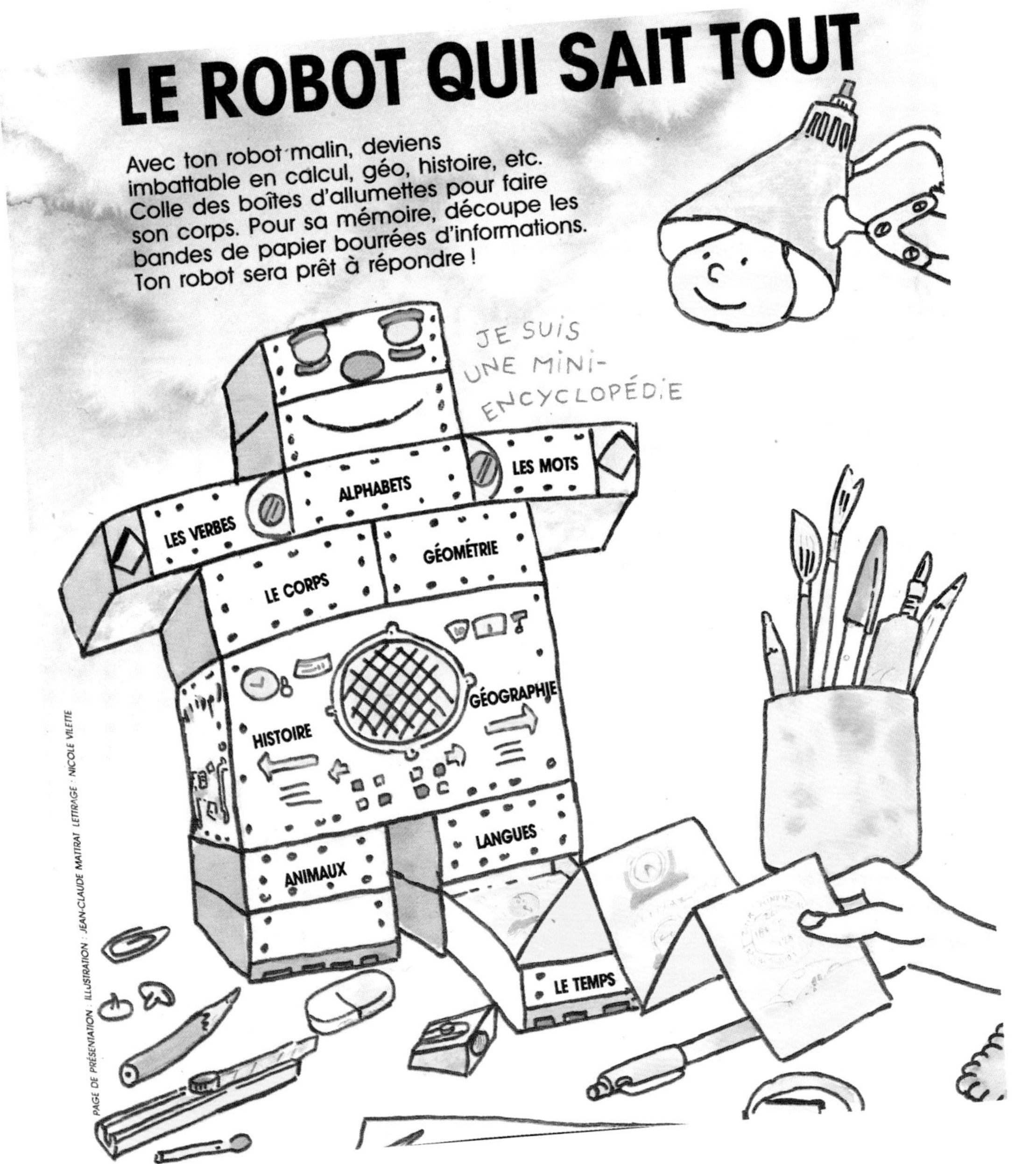

Au collège

L

Écoutez et lisez.

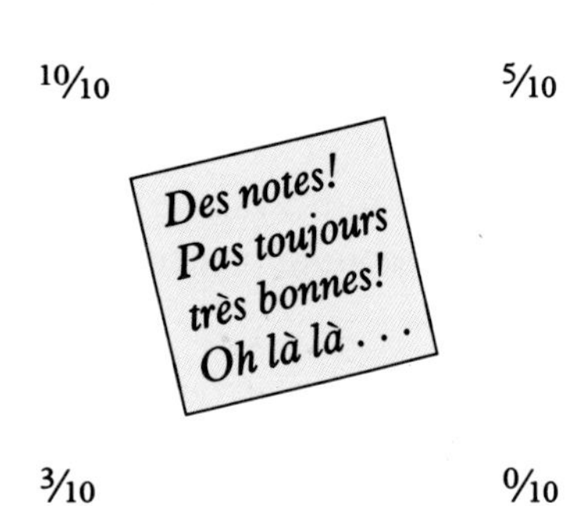

Et vous . . . Avez-vous de bonnes notes?
Copiez ce bulletin dans votre cahier et inscrivez vos notes.

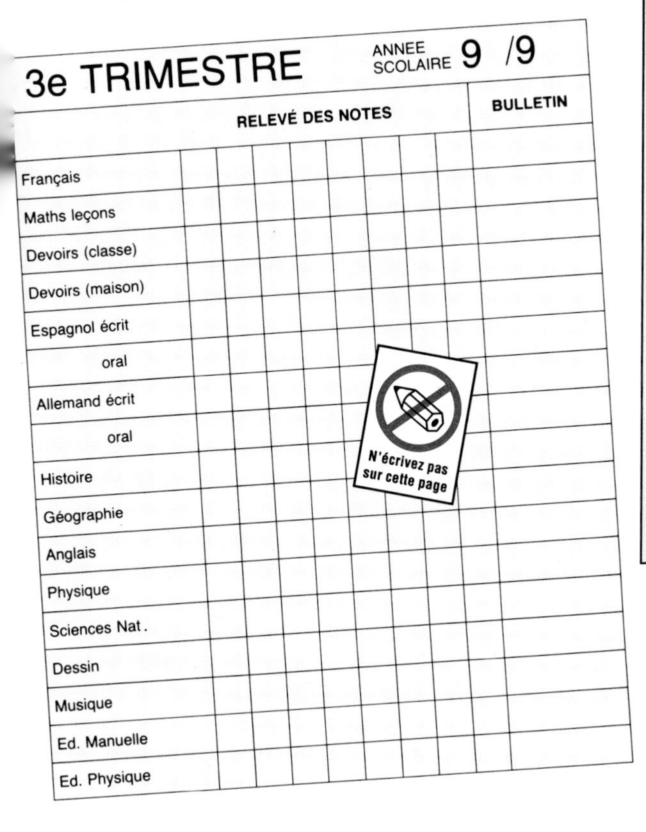

3e TRIMESTRE ANNEE SCOLAIRE 9 /9

	RELEVÉ DES NOTES	BULLETIN
Français		
Maths leçons		
Devoirs (classe)		
Devoirs (maison)		
Espagnol écrit		
oral		
Allemand écrit		
oral		
Histoire		
Géographie		
Anglais		
Physique		
Sciences Nat.		
Dessin		
Musique		
Ed. Manuelle		
Ed. Physique		

Testez votre mémoire

Sondage
Faites une liste des matières à l'école!
Demandez à vos ami(e)s:
Quelle est ta matière préférée?
Pourquoi?

Écrivez les matières et les opinions.

Exemple:
Vous: Quelle est ta matière préférée?
Votre ami(e): J'aime les maths.
Vous: Pourquoi?
Votre ami(e): C'est facile!

Collez le sondage au mur.

POUR VOUS AIDER

Au collège *At secondary school*
Parlez de votre emploi du temps *Explain your timetable*
Quel est celui de Véronique/de Samuel? *Which is Véronique's/Samuel's?*
Remplacez les illustrations par les matières *Replace the illustrations by school subjects*
Vous aimez, vous détestez . . . ? *You like, you hate . . . ?*
Ils donnent leur opinion sur les matières *They give their opinion on school subjects*
Suivez les indications et créez votre ordinateur *Follow the guidelines and create your computer*
Une note, des notes *A mark, marks*
Pas toujours de très bonnes notes! *Not always very good marks!*
J'ai eu un 0! *I had a 0!*
Copiez ce bulletin *Copy this report form*
N'oublie pas de dire comment tu t'appelles au début de ta cassette! *Don't forget to give your name at the beginning of the cassette!*
Raconte à quelqu'un qui habite dans un autre pays ce qui pour toi est important *Tell someone living in another country what is important to you*

C'EST TON PROFIL

Coche ce que tu as appris.

Maintenant je peux . . .	Si tu es prêt, tu coches ☑ *bien*	*moyen*	*pas très bien*	Si tu ne peux pas, mets une croix ☒ et révise la page . . .
dire: J'achète de la colle, etc.	☐	☐	☐	**176**
comprendre mon professeur dire: Entrez!/Asseyez-vous!	☐	☐	☐	**177**
demander: Puis-je aller aux toilettes?, etc.	☐	☐	☐	**178**
dire: Je n'ai pas de stylo Je ne comprends pas, etc.	☐	☐	☐	**178**
comprendre: Comment t'appelles-tu? En quelle classe es-tu?	☐	☐	☐	**180**
répondre: Je m'appelle . . ./ J'ai . . . ans/Je suis en sixième	☐	☐	☐	**180**
donner mon emploi du temps et comprendre l'emploi du temps de mon ami(e)	☐	☐	☐	**186**
Comprendre les questions: Quelles matières aimes-tu?/ n'aimes-tu pas?	☐	☐	☐	**191**
répondre: J'aime les maths Je n'aime pas . . ./Je déteste l'anglais	☐	☐	☐	**191**
écrire une lettre pour donner mon emploi du temps et les matières que j'aime, etc	☐	☐	☐	

NOM . . . .
ÂGE . . . .
CLASSE . . . . . .

N'écrivez pas sur cette page

Ma cassette 'Spirale'

Comment préparer ta cassette *Spirale*.

NB N'oublie pas de dire comment tu t'appelles au début de ta cassette!

1. Il te faut un magnétophone.
2. Il te faut une cassette.
3. Regarde tes Profils.
4. Prépare tes questions et tes réponses.
5. Tu es prêt(e)? Commence à parler!
6. Tu peux interviewer tes camarades, tes profs, ta famille.
7. Enregistre ta musique préférée!
8. À la fin de ton enregistrement, dis 'À bientôt' ou 'Au revoir.'

Mon dossier 'Spirale'

Comment écrire ton journal *Spirale*.

C'est facile!

- Écris ton nom, ton prénom et ton âge.
  N'oublie pas ton adresse et ta date de naissance.
  Colle une photo.

- Choisis un pays où l'on parle français.
  Raconte à quelqu'un qui habite dans un autre pays ce qui pour toi est important:

ta famille	ce que tu aimes
tes animaux	ce que tu n'aimes pas
où tu habites	
ton école	

- Regarde tous les modules de *Spirale* pour t'aider.
- Enregistre-toi si tu veux.

Suggestions: ★ Fais lire tes histoires à tes ami(e)s.
★ Dessine des posters.
★ Compose des chansons, e.g. une autre chanson pour l'alphabet.
Invente un alphabet en remplaçant les lettres par des dessins et écris un message secret.

Bonne chance et bon travail!

Notes de Grammaire

Tu and vous

In French there are two ways of saying 'you' – **tu** and **vous**.

Tu is used to children and friends.
Vous is used to everyone else and when you are talking to more than one person.

Gender

There are two French words for the English word 'a'.

In *Spirale* you will come across 'masculine' words (**un**) and 'feminine' words (**une**).

French nouns, unlike English ones, have a gender. You can find out more about this on pages 56 and 80.

– Can you work out what goes in front of these words – **un** or **une**?

...... cahier
...... règle
...... ordinateur
...... trousse
...... chat
...... Coca-Cola
...... table
...... gomme

You must learn the **un** word and the **une** word as you go along.

Le, la, les

There are four ways of saying 'the' in French:

le for masculine words, e.g.
le chien, **le** port, **le** Coca-Cola
la for feminine words, e.g.
la plage, **la** gomme, **la** table
l' for words that begin in French with
a, **e**, **i**, **o**, **u** and **h**, e.g.
l'hôtel, **l'**Orangina, **l'**éléphant
les for all plural words (more than one), e.g.
les gommes, **les** chiens, **les** éléphants

To make most nouns plural, you just add **s**.

Now put **le**, **la**, **l'** or **les** in front of these words:

...... lapin
...... tortue
...... perroquet
...... table
...... poissons
...... gare
...... chips
...... Orangina

Numbers 1 to 1000

0 zéro
1 un, une
2 deux
3 trois
4 quatre
5 cinq
6 six
7 sept
8 huit
9 neuf
10 dix
11 onze
12 douze
13 treize
14 quatorze
15 quinze
16 seize
17 dix-sept
18 dix-huit
19 dix-neuf
20 vingt
21 vingt et un
22 vingt-deux
23 vingt-trois
30 trente
31 trente et un
40 quarante
50 cinquante
60 soixante
70 soixante-dix
71 soixante et onze
72 soixante-douze
80 quatre-vingts
81 quatre-vingt-un
82 quatre-vingt-deux
90 quatre-vingt-dix
91 quatre-vingt-onze
92 quatre-vingt-douze
100 cent
101 cent un
200 deux cents
300 trois cents
1000 mille

Days of the week

Days: Les jours de la semaine

lundi *Monday*
mardi *Tuesday*
mercredi *Wednesday*
jeudi *Thursday*
vendredi *Friday*
samedi *Saturday*
dimanche *Sunday*

Months: Les mois de l'année

janvier *January*
février *February*
mars *March*
avril *April*
mai *May*
juin *juin*
juillet *July*
août *August*
septembre *September*
octobre *October*
novembre *November*
décembre *December*

Remember that capital letters are not used with the days and months in French.

No word for 'on' is needed in French with the days of the week. For example:
on Sunday = dimanche
on Monday = lundi

Now put the following into French:

1. on Saturday
2. on Monday
3. on Thursday
4. on Friday
5. on Wednesday

La date en français

Numbers from 2 to 31 are needed in order to give the date.
For *the first* you just say **le premier**, e.g.
le premier mai
You write: le 1er mai – no word for 'of' is needed.

You must also never add 'th', 'st' or 'nd' to the number. For example, when in English you want to say: *the 2nd of June*, in French you write: le 2 juin.

Asking questions

The simplest way of asking a question in French is to give a sentence the intonation of a question. To do this you must raise the tone of your voice at the end. For example:

↘
Tu aimes l'Orangina (*You like Orangina*)
becomes
↗
Tu aimes l'Orangina? (*Do you like Orangina?*)

Another way is to add the phrase **Est-ce que** in front of a statement. For example:
Est-ce que tu aimes Olivier?
Do you like Olivier?

In more formal, polite French you just change the order of the words, so you would say **Aimes-tu?** instead of **Tu aimes**. Here are some more examples:

Vous avez des chips *You have some crisps*	→Avez-vous des chips? *Do you have any crisps?*
Tu aimes danser	→Aimes-tu danser?
Tu aimes les maths	→Aimes-tu les maths?

Countries

1. With most feminine countries (countries ending with an **e**) 'in' and 'to' are translated by **en**. For example:
   Je vais **en** France *I am going to France*
   J'habite **en** France *I live in France*
2. With masculine countries 'in' and 'to' are translated by **au**, e.g.
   au Japon
   au Portugal
   au Canada

Remember that some countries are plural, e.g. **les États-Unis** (*the United States*). 'In' or 'to' with plural countries is **aux**:
J'habite **aux** États-Unis

Now look at the list of countries and decide whether you are going to put **en**, **au** or **aux**.

la Belgique	la Suisse
l'Angleterre	l'Espagne
la France	le Portugal
l'Allemagne	les Antilles
la Grande Bretagne	

Ne . . . pas

Being negative

This is very easy in French – you just put **ne . . . pas** around the verb. For example:
Je **ne** vais **pas** au cinéma
I am not going to the cinema
Je **ne** regarde **pas** la télévision
I am not watching television
Remember that **ne** becomes **n'** in front of verbs beginning with a vowel (**a**, **e**, **i**, **o**, **u**), e.g.
Je **n'**aime **pas** le Coca-Cola
I don't like Coca-Cola

Au and à la

In French there are two words which are used to mean 'to' or 'at'.
You have to say **au** in front of masculine words, e.g.
Je vais **au** cinéma *I am going to the cinema*
and **à la** in front of feminine words, e.g.
Je vais **à la** piscine *I am going to the swimming pool*

Now it's your turn.
Put **au** or **à la** in front of the following:

1. la maison	4. la discothèque
2. le concert	5. le McDo
3. la piscine	

Mon, ma, mes

My

Use **mon** before a masculine word, e.g.
Voici **mon** père *Here is my father*
Use **ma** in front of a feminine word, e.g.
Voici **ma** sœur *Here is my sister*
Use **mon** before a singular noun that begins with **a**, **e**, **i**, **o**, **u** and sometimes **h**, e.g.
Mon ami(e) *My friend*
Mon hôtel *My hotel*
Use **mes** before a plural noun, e.g.
Voici **mes** frères *Here are my brothers*

Some . . . any . . .

In French there are four special words which are used to mean 'some' or 'any'.
You have to say **du** for masculine words, e.g.
du jus d'orange
de la for feminine words, e.g.
de la limonade
de l' for words beginnings with **a**, **e**, **i**, **o**, **u** and sometimes **h**, e.g.
de l'eau
de l'Orangina
And you use **des** for more than one item, e.g.
des frites
des biscuits

Now can you guess which goes where? The words **du**, **de la**, **de l'** and **des** are missing from this card.

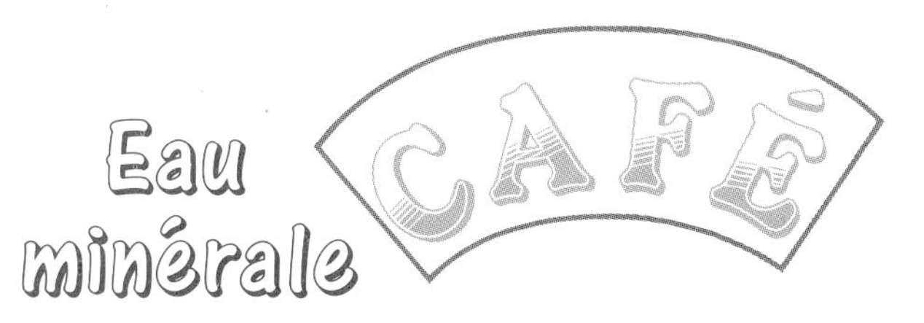

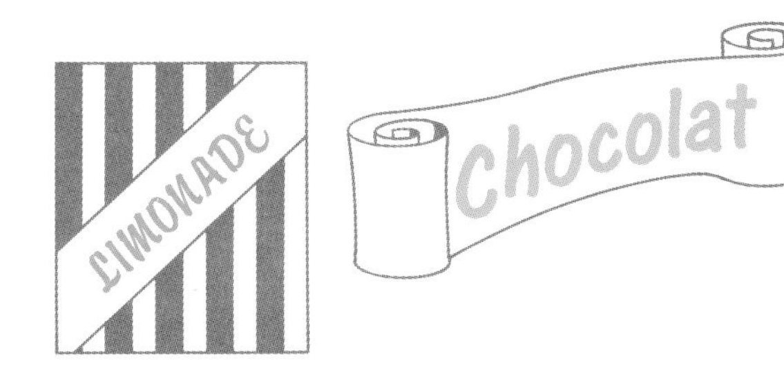

Adjectives

Making adjectives agree

In French adjectives are either 'masculine' or 'feminine' to match the noun they are describing.
They usually change when used with a feminine noun and always change with a plural noun (remember, plural = more than one).

Look at this table and learn it by heart.

Masculine – add nothing:
 un canapé bleu
Feminine – add **e**:
 une chaise bleu**e**
Masculine plural – add an **s**:
 deux canapés bleu**s**
Feminine plural – add **es**:
 deux chaises bleu**es**

Remember that if an adjective ends in **e**, like **jaune**, **rouge**, **orange** (*yellow*, *red*, *orange*), you must not add an extra **e** to make it feminine.

Marron (*brown*) is a special adjective and does not follow the same rule.
Marron never changes. Examples:

 un canapé marron
 une table marron
 des canapés marron
 des tables marron

You must learn these special adjectives as you go along.

I, you, he, she, it, we, they

I
The French for 'I' is **je**.

You
Use **tu** when talking to a friend, a relative, a pet or someone your own age.
Use **vous** when talking to an adult or to more than one person.

He, she, it
The French for 'he' is **il**
 for 'she' is **elle**.
'It' is **il** or **elle**. Use **il** to talk about a masculine word:
 J'ai un chat. **Il** s'appelle Éric
Use **elle** to talk about a feminine word:
 J'ai une tortue. **Elle** s'appelle Flash

We
The French for 'we' is **nous**.
You will very often hear **on** used for 'we' in casual conversation.
On can also refer to people in general:
 Au Canada **on** parle français *In Canada people speak French*
 En Angleterre **on** conduit à gauche *In England people drive on the left*

They
Use **ils** in front of a masculine plural noun:
 J'ai trois cousins. **Ils** s'appellent Marc, Alain et Jean-Pierre
Use **elles** in front of a feminine plural noun:
 J'ai deux sœurs. **Elles** s'appellent Zakina et Saima

Use **ils** for a mixed group (girls and boys):
Ils regardent la télé *They (girls and boys) are watching television*

The present tense

There is one present tense in French, whereas there are two in English.
The same words are used to say 'I play' and 'I am playing'.

French verbs fall into three groups:

-er verbs	e.g. **regarder**
-ir verbs	e.g. **finir**
-re verbs	e.g. **attendre**

-**er** verbs: **regarder** *to look at, to watch*

je regarde	nous regardons
tu regardes	vous regardez
il regarde	ils regardent
elle regarde	elles regardent

-**ir** verbs: **finir** *to finish*

je finis	nous finissons
tu finis	vous finissez
il finit	ils finissent
elle finit	elles finissent

-**re** verbs: **attendre** *to wait*

j'attends	nous attendons
tu attends	vous attendez
il attend	ils attendent
elle attend	elles attendent

Verbs lists – *je les apprends par cœur* . . . In *Spirale*, you will come across four important verbs. You will have to learn them by heart as they do not follow the same rule as the verbs above. They are:

aller *to go*

je vais	nous allons
tu vas	vous allez
il va	ils vont
elle va	elles vont

faire *to make, to do*

je fais	nous faisons
tu fais	vous faites
il fait	ils font
elle fait	elles font

être *to be*

je suis	nous sommes
tu es	vous êtes
il est	ils sont
elle est	elles sont

Lexique

A

à *to, at*
il/elle **a** *he/she has*
acheter *to buy*
une **activité** *activity*
une **addition** *bill*
j' **adore** *I love*
une **adresse** *address*
africain *African*
l' **Afrique** (*f*) *Africa*
un **âge** *age*
j' **ai** *I have*
j' **ai . . . ans** *I am . . . years old*
aider *to help*
j' **aime** *I like, love*
aimer *to like, to love*
j' **aimerais** *I would like*
ajouter *to add*
l' **Algérie** (*f*) *Algeria*
algérien, algérienne *Algerian*
l' **Allemagne** (*f*) *Germany*
allemand *German*
aller *to go*
vous **allez** *you go/are going*
une **allumette** *match*
alors *so*
américain *American*
un **ami** *friend (male)*
une **amie** *friend (female)*
une **amitié** *friendship*
amitiés *love (from)*
anglais *English*
l' **Angleterre** (*f*) *England*
un **animal** *animal*
les **animaux** (*m.pl*) *animals*
une **année** *year*
un **anniversaire** *birthday*
une **annonce** *advert*
annoncer *to announce*
antillais *West Indian*
un **appel** *register*
je m' **appelle** *I'm called*
il/elle s' **appelle** *he/she is called*
apprendre *to learn*
approprié *appropriate*
appuyer *to press*
un **après-midi** *afternoon*
un **arbre** *tree*
une **armoire** *wardrobe*
s' **arrêter** *to stop*
une **arrière grand-mère** *great grandmother*
un **arrière grand-père** *great grandfather*
tu **as** *you have*
asseyez-vous! *sit down!*
assez *quite, enough*
assieds-toi! *sit down!*
attendre *to wait*
attention! *watch out!*
au *to, at, in*
au revoir *goodbye*
aujourd'hui *today*
aussi *also, as well*
l' **Australie** (*f*) *Australia*
australien, australienne *Australian*
un **autocollant** *sticker*
autour *around*
un **autre** *another*
autre *other*
aux *to the (pl)*
avant *before*
avec *with*
vous **avez** *you have*
avoir *to have*
nous **avons** *we have*
avril *April*

B

le **babyfoot** *table football*
la **baguette** *French loaf*
la **baignoire** *bath*
la **bande** *tape*
la **banlieue** *suburbs*
la **banque** *bank*
beaucoup *a lot, very much*
belge *Belgian*
la **Belgique** *Belgium*
beau, belle (*f*) *beautiful*
la **bibliothèque** *book-case, library*
c'est **bidon** *it's boring, it's a load of rubbish*
et **bien** *well*
bien *well, fine*
bien sûr *of course*
bienvenu(e)! *welcome!*
le **billet** *banknote, ticket*
la **bise** *kiss*
le **bisou** *kiss*
blanc, blanche *white*
bleu *blue*
le **bœuf** *bull, beef*
bof! *huh!*
boire *to drink*
la **boisson** *drink*
la **boîte** *box, disco*
en **boîte** *to the disco*
bon, bonne *good, correct, right*
bon anniversaire! *happy birthday!*
le **bonbon** *sweet*
le **bonhomme** *man*
bonjour! *hello!*
bonne chance! *good luck!*
bonne nuit! *good night!*
bonsoir! *good evening!*
le **bord de la mer** *seaside*
la **bosse** *knuckle*
la **boucherie** *butcher's*
la **bougie** *candle*
la **boulangerie** *baker's*
la **boum** *party*
la **bouteille** *bottle*
bravo! *well done!*
brun *brown*
bureau *office*
la **buvette** *refreshment bar*

C

ça va *I'm fine*
ça va? *how are you?*

le **cadeau** *present*
le **cadre** *square space, frame*
le **café** *coffee*
le **cahier** *exercise book*
la **calculatrice** *calculator*
le **calendrier** *calendar*
le/la **camarade** *friend*
le **Canada** *Canada*
canadien, canadienne *Canadian*
le **canapé** *sofa, settee*
le **canard** *duck*
le **carrefour** *crossroads*
le **cartable** *satchel, school bag*
la **carte** *map*
la **carte d'identité** *identity card*
la **carte postale** *postcard*
la **case** *box, grid*
la **cassette** *cassette*
ce, cette *this*
ce que *what*
cent *hundred*
le **centre** *centre*
ces *these (pl)*
c'est *this is, it is*
la **chaîne hi-fi** *hi-fi system*
la **chaise** *chair*
la **chambre** *bedroom*
la **chanson** *song*
chaque *each*
chaque fois *each time*
le **chat** *cat*
le **château** *castle*
cher, chère *dear*
chercher *to look for*
le **cheval** *horse*
chez *to, at*
chez moi *at my house, at home*
chez nous *at our house*
chez vous *at your house*
le **chien** *dog*
le **chiffre** *number*
la **Chine** *China*
chinois *Chinese*
les **chips** (*m.pl*) *crisps*
le **chocolat** *chocolate*
choisir *to choose*
choisissez! *choose!*
chouette! *great! super!*
ci-dessous *below, underneath*
le **ciné, cinéma** *cinema*
cinq *five*
cinquante *fifty*
la **classe** *class*
le **client** *customer*
le **Coca, Coca-Cola** *Coca-Cola*
cochez *tick*
le **cochon d'Inde** *guinea pig*
le **coin** *corner*
le **collège** *secondary school*
collez! *stick!*
combien? *how much?, how many?*
comme *like, as*
comme ci comme ça *so-so*
commencer *to start*
comment *how*
comment t'appelles-tu? *what's your name?*
le **commentaire** *commentary*
compris *included*
compter *to count*
le **concours** *competition*
la **confiture** *jam*
le **conseil** *advice*
consulter *to consult*
le **copain** *friend (male)*
copier *to copy*
la **copine** *friend (female)*
le **coq** *cockerel*
le **correspondant** *pen friend (male)*
la **correspondante** *pen friend (female)*
correspondre *to match, correspond with*
le **côté** *side*
à côté de *next to*
coucou *hello (to a friend)*
un **coup de main** *a helping hand*
en courant *running*
le **cours** *lesson*
le **cousin** *cousin (male)*
la **cousine** *cousin (female)*
le **crayon** *pencil*
la **crêpe** *pancake*
la **crêperie** *pancake house*
le **croissant** *croissant*
le **croque-monsieur** *toasted cheese and ham sandwich*
la **cuisine** *kitchen, cookery*
la **cuisinière** *cooker*

D

dans *in*
la **date** *date*
le **dauphin** *dolphin*
de *from, of*
de la (*f*) *some*
débrouiller *to manage, to cope*
décembre *December*
déchiré *ripped up*
déchirer *to tear, rip up*
découvrir *to discover*
défense de ... *it's forbidden/not allowed to ...*
demander *to ask*
le **déménagement** *moving house*
déménager *to move house*
demi *half*
et **demie** *half past (except* **midi/minuit et demi**, *half past midday/ midnight)*
derrière *behind*
des *some, any (pl)*
descendre *to go down, descend*
désespéré *desperate*
désirer *to wish, want to*
désolé *sorry*
je suis désolé *I'm sorry*
le **dessin** *art, drawing*
dessiner *to draw*
dessus *above*
deux *two*
deviner *to guess*
la **devinette** *guessing game, riddle*
les **devoirs** (*m.pl*) *homework*
dimanche *Sunday*
dire *to say, tell*
discuter *to discuss*
disparaître *to disappear*
le **disque** *record*
dix *ten*
dix-huit *eighteen*
dix-neuf *nineteen*
dix-sept *seventeen*
donné *given*
donner *to give*
donnez *give*
le **dossier** *file, folder*
douze *twelve*
tout droit *straight on*
la **droite** *the right*
à droite *on the right*
du (*m*) *some*

E

l' **eau** (*f*) *water*
échanger *to exchange*
une **échelle** *ladder*
une **école** *school*

un **écolier** *schoolboy*
une **écolière** *schoolgirl*
écossais *Scottish*
l' **Écosse** (*f*) *Scotland*
écouter *to listen to*
écoutez! *listen!*
écrire *to write*
écris-moi! *write to me!*
écrivez! *write!*
égale *equals*
un **éléphant** *elephant*
elle *she, it*
elles *they (f)*
un **emploi du temps** *timetable*
en *in*
en face de *opposite, facing*
un **endroit** *place*
au bon endroit *in the right place*
un **enfant** *child*
enregistrez-vous! *record yourself!*
ensuite *then, next*
entendre *to hear*
entre *between*
épeler *to spell*
une **erreur** *mistake*
tu es *you are*
un **escalier** *stairs*
l' **Espagne** (*f*) *Spain*
espagnol *Spanish*
il/elle est *he/she/it is*
est-ce que *asks a question, e.g.*
est-ce que tu as? *do you have?*
et *and*
et bien *well*
et demie *half past*
et quart *quarter past*
un **étage** *floor, storey*
une **étagère** *shelf*
les **États-Unis** (*m.pl*) *United States*
vous êtes *you are*
être *to be*
un **évier** *sink*
excusez-moi *excuse me, sorry*
expliquant *explaining*

F

en face de *facing, opposite*
facile *easy*
j'ai faim *I'm hungry*
faire *to do, make*
le **faire-part** *announcement card*
la **famille** *family*
fatigué *tired*
le **fauteuil** *armchair*
faux, fausse *false*
la **femme** *woman*
un **jour férié** *a public holiday*
la **ferme** *farm*
fermé *closed*
fermer *to close, shut*
la **fête** *festival, saint's day, holiday*
fêter *to celebrate*
le **feutre** *felt tip pen*
les **feux** (*m.pl*) *traffic lights*
février *February*
la **fille** *girl*
le **fils** *son*
le **flash-grammaire** *grammar section*
font *make*
la **forme** *form, shape*
fort *strong, good at*
il est fort en maths *he's good at maths*
français *French*
à la française *in the French way*
la **France** *France*
le **frère** *brother*
le **frigo** *fridge*
le **fromage** *cheese*
le **fruit** *fruit*

G

gagner *to win*
le **pays de Galles** *Wales*
gallois *Welsh*
le **garage** *garage*
le **garçon** *boy*
la **gare** *railway station*
gâté *spoilt*
le **gâteau** *cake*
la **gauche** *left (side)*
à gauche *on the left*
les **gens** (*m.pl*) *people*
la **girafe** *giraffe*
la **glace** *ice cream*
le **globe** *globe*
la **gomme** *rubber*
le **gorille** *gorilla*
gourmand *greedy*
le **goût** *taste*
grand *big, tall, large*
la **grand-mère** *grandmother*
les **grand-parents** (*m.pl*) *grandparents*
le **grand-père** *grandfather*
le **gratte-ciel** *skyscraper*
le **grenier** *attic*
la **grille** *grid, table*
grimper *to climb*
gris *grey*
le **guide** *guide, guide book*
la **guitare** *guitar*

H

j' habite *I live*
où habites-tu? *where do you live?*
habiter *to live*
un **hamburger** *hamburger*
un **hamster** *hamster*
haut *high*
à haute voix *aloud, in a loud voice*
hélas! *worse luck!, bother!*
une **heure** *hour*
heureux, heureuse *happy*
un **hippodrome** *circus, race course*
un **homme** *man*
la **Hongrie** (*f*) *Hungary*
hongrois *Hungarian*
une **horloge** *clock*
un **hot-dog** *hot dog*
un **hôtel** *hotel*
un **hôtel de ville** *town hall*
un **hypermarché** *hypermarket*

I

ici *here*
une **idée** *idea*
il *he, it*
il y a *there is, are*
illustrer *to illustrate*
ils *they (m)*
une **image** *picture*
l' **informatique** (*f*) *information technology (IT)*
l' **instruction civique** (*f*) *social studies*
interdit *forbidden, not allowed*
une **invitation** *invitation*
irlandais *Irish*
l' **Irlande** (*f*) *Ireland*
l' **Italie** (*f*) *Italy*
italien, italienne *Italian*
la **Côte d' Ivoire** *Ivory Coast*
un **ivoirien** *an inhabitant (m) of the Ivory Coast*

une **ivoirienne** *an inhabitant (f) of the Ivory Coast*

J

jamaïcain *Jamaican*
la **Jamaïque** *Jamaica*
jamais *never*
le **jambon** *ham*
janvier *January*
le **Japon** *Japan*
japonais *Japanese*
jaune *yellow*
je, j' *I*
le **jeu** *game, quiz*
le **jeu de l'oie** *snakes and ladders*
jeudi *Thursday*
jouer *to play*
le **jour** *day*
la **journée** *day*
juillet *July*
juin *June*
le **jus de fruit** *fruit juice*
le **jus d'orange** *orange juice*
jusqu' à *up to, until, as far as*
juste *fair*
ce n'est pas juste! *it's not fair!*

K

le **kangourou** *kangaroo*
le **kilo** *kilo*

L

la *the (f)*
là *there*
là-bas *over there*
le **lait** *milk*
le **lapin** *rabbit*
le **lavabo** *washbasin*
le *the (m)*
les *the (pl), them*
la **lettre** *letter*
leur *their*
levez-vous! *stand up!*
le **lexique** *vocabulary list*
la **librairie** *bookshop*
la **limonade** *lemonade*
le **lion** *lion*
lire *to read*
lisez! *read!*
la **liste** *list*
le **lit** *bed*
le **lit superposé** *bunk bed*
le **livre** *book*
le **livre de l'élève** *pupil's book*
logique *logical*
loin *far*
Londres *London*
le **Loto** *Bingo*
lui *him, her; to him, to her*
lundi *Monday*
les **lunettes** (*f.pl*) *glasses*
le **lycée** *secondary school*
le **lycéen** *schoolboy*
la **lycéenne** *schoolgirl*

M

ma *my (f)*
Madame *Mrs, madam*
Mademoiselle *Miss*
le **magasin** *shop*
le **magnétophone** *tape recorder*
mai *May*
la **main** *the hand*
maintenant *now*
mais *but*
la **maison** *house*
à la maison *at home*
la **maîtresse** *school mistress*
malade *sick, ill*
manger *to eat*
manquer *to be missing*
le **marché** *market*
marcher *to walk*
mardi *Tuesday*
le **mari** *husband*
le **Maroc** *Morocco*
marocain *Moroccan*
marquer *to score*
marrant *funny*
j'en ai marre *I'm fed up*
mars *March*
le **matériel** *equipment*
les **mathématiques** (*m.pl*) *mathematics*
les **maths** *maths*
la **matière** *subject*
le **matin** *morning*
l'île **Maurice**(*f*) *Mauritius*
mauvais *wrong*
au mauvais endroit *in the wrong place*
le **mec** *guy, bloke*
mélangé *mixed up, muddled up*
le **membre** *member*
même *same, even*
la **mémoire** *memory*
le **menteur** *liar*
la **mer** *sea*
merci *thank you*
mercredi *Wednesday*
la **mère** *mother*
mes *my (pl)*
Mesdames! *Ladies!*
Messieurs! *Gentlemen!*
mettre *to put*
le **meuble** *a piece of furniture*
midi (*m*) *midday*
minuit (*m*) *midnight*
à minuit *at midnight*
la **minute** *minute*
le **modèle** *example*
moderne *modern*
moi *me*
moins *less, minus*
le **mois** *month*
mon *my (m)*
le **monde** *world*
la **monnaie** *change (money)*
monsieur *Mr, sir*
la **montagne** *mountain*
montrer *to show*
les **mots croisés** (*m.pl*) *crossword*
la **moutarde** *mustard*
le **mouton** *sheep*
le **muet** *person who cannot speak*
multiplié par *multiplied by*
le **mur** *wall*
la **musique** *music*
le **mystère** *mystery*

N

n'est-ce pas? *isn't that so, right?*
le **nain** *dwarf*
la **naissance** *birth*
national *national*
ne . . . pas *not*
neuf *nine*
le **neveu** *nephew*
la **nièce** *niece*
Noël *Christmas*
noir *black*
le **nom (de famille)** *surname*
non *no*
le **Nord** *North*
nos *our (pl)*
les **notes** (*f.pl*) *marks, school results*
notre *our*
nous *we, us*

novembre *November*
nul *nothing, worthless, useless at*
il est **nul en maths** *he's useless at maths*
le **numéro** *number*

O

un **objet** *object*
octobre *October*
un **office de tourisme** *tourist information office*
une **oie** *goose*
un **oiseau** *bird*
on *one, we*
un **oncle** *uncle*
ils/elles **ont** *they have*
onze *eleven*
un **Orangina** *orange drink*
un **ordinateur** *computer*
un **ordre** *order*
une **oreille** *ear*
organiser *to organise*
ou *or*
où *where*
oublier *to forget*
oui *yes*
un **ours** *bear*
ouvert *open*
ouvrir *to open*

P

Pâques *Easter*
le **panneau** *sign*
le **paquet** *packet*
par exemple *for example*
le **parc** *park*
pardon *excuse me, sorry*
les **parents** (*m.pl*) *parents, relatives*
le **parking** *car park*
parler *to speak*
parmi *amongst*
la **parole** *spoken word*
À vous la **parole!** *Your turn to speak!*
partager *to share*
le **partenaire** *partner*
le **passage clouté** *pedestrian crossing*
passe-moi . . . ! *pass me . . . !*
passer *to pass*
le **patinage** *skating*
payant *paying*
le **pays** *country*
la **peluche** *soft toy*
la **pendule** *clock*
penser *to think*
la **Pentecôte** *Whitsun*
le **perroquet** *parrot*
la **personne** *person*
petit *small*
la **photo** *photo*
la **pièce** *room*
la **pièce de monnaie** *coin*
le **piéton** *pedestrian*
la **piscine** *swimming pool*
le **placard** *cupboard*
s'il vous **plaît** *please*
la **plante** *plant*
la **plaquette** *door plate, nameplate*
il **pleut** *it's raining*
le **poisson** *fish*
le **porc** *pig*
la **porte** *door*
portugais *Portuguese*
le **Portugal** *Portugal*
poser une question *to ask a question*
la **poste** *Post Office*
le **poster** *poster*
pour *for*
le **pourboire** *tip*
poussez! *push!*
Pouvez-vous . . ? *Can you . . ?*
pouvoir *to be able*
préféré *favourite*
le **premier** *first*
prendre *to take, have*
prenez! *take!*
la **pré-commande** *advance order*
le **prénom** *first name*
préparer *to prepare*
présenter *to introduce*
prévenir *to warn*
prévenu *warned*
prêt *ready*
le/la **prof** *teacher*
protéger *to protect*
prudent *careful*
la **publicité** *advertising*
puis *then*
puis-je . . ? *can I . . ?*

Q

qu'est-ce que? *what?*
la **qualité** *quality*
quand *when*
quarante *forty*
et **quart** *quarter past*
quatorze *fourteen*
quatre *four*
à **quatre heures** *at four o'clock*
quatre-vingt-dix *ninety*
quatre-vingts *eighty*
que *what, that*
quel, quelle *what*
quel âge as-tu? *how old are you?*
quelle heure est-il? *what time is it?*
quelques *some, a few*
la **question** *question*
la **queue** *queue, tail*
qui *who*
quinze *fifteen*
quoi *what*

R

la **radio** *radio*
le **rat** *rat*
rechercher *to search for*
les **recherches** (*f.pl*) *research*
regarder *to look at, watch*
la **règle** *ruler, rule*
les **règles d'or** *the golden rules*
remercier *to thank*
remplir *to fill in*
remplissez *fill in*
le **rendez-vous** *meeting, date*
la **rentrée** *back to school time, start of school year*
le **repas** *meal*
répéter *to repeat*
répondre *to reply*
le **restaurant** *restaurant*
le **rêve** *dream*
au **revoir!** *goodbye!*
le **rez-de-chaussée** *ground floor*
rien *nothing*
risquer *to risk*
le **robot** *robot*
le **rôle** *role, part*
à tour de **rôle** *take it in turns*
rose *pink*
rouge *red*
roumain *Romanian*
la **Roumaine** *Romania*
la **route** *road*
la **rue** *street*
russe *Russian*
la **Russie** *Russia*

S

sa *his, her, its (f)*
sage *good, well behaved*
la **salade** *salad, lettuce*
la **salle à manger** *dining-room*
la **salle de bains** *bathroom*
la **salle de classe** *classroom*
le **salon** *lounge, sitting room*
saluer *to greet*
Salut! *Hi!, Hello!, Goodbye!*
la **salutation** *greeting*
samedi *Saturday*
le **sandwich** *sandwich*
le **sanglier** *boar*
sans *without*
sauvez! *save!*
les **sciences** (*f.pl*) *science*
le **sacco** *beanbag*
seize *sixteen*
la **semaine** *a week*
sept *seven*
septembre *September*
le **serpent** *snake*
service compris *tip included*
service non compris *tip not included*
seul *alone, only*
si *if, yes*
le **silence** *silence*
le **singe** *monkey*
le **sirop** *squash, cordial, concentrate*
six *six*
la **sixième** *year 7 at school*
la **sœur** *sister*
soixante *sixty*
la **Somalie** *Somalia*
son *his, her, its (m)*
le **sondage** *survey, poll*
sonnez! *ring the bell!*
sont *are*
la **sortie** *exit*
la **souris** *mouse*
le **sous-sol** *basement*
soyez! *be!*
spécial *special*
le **stylo** *pen*
le **sucre** *sugar*
je **suis** *I am*
suivant *following*
super! *great!, super!*
le **supermarché** *supermarket*
sur *on*
sympa *nice*

T

ta *your (f)*
la **table** *table*
la **table de nuit** *bedside table*
le **tableau** *board*
taisez-vous! *be quiet!*
tais-toi! *be quiet!*
la **tante** *aunt*
le **tapis** *rug, carpet*
la **terminale** *year 13 (last year at school)*
tes *your (pl)*
Testez votre mémoire *Test your memory*
la **télé, télévision** *television, TV*
la **terre** *earth*
le **thé** *tea*
tiens! *hey!, my goodness!*
le **tigre** *tiger*
le **timbre** *stamp*
tirez! *pull!*
tomber *to fall*
ton *your (m)*
toujours *always*
à tour de rôle *take it in turns*
tournez *turn*
tout *everything, all*
tout droit *straight ahead*
le **tracmots** *word search*
travailler *to work*
les **travaux manuels** (*m.pl*) *Craft, Design and Technology*
treize *thirteen*
trente *thirty*
très *very*
le **trésor** *treasure*
trois *three*
la **troisième** *year 10 (at school)*
se tromper *to make a mistake*
la **trompette** *trumpet*
trop *too*
le **trottoir** *pavement*
la **trousse** *pencil case*
trouver *to find*
tu *you*
la **Tunisie** *Tunisia*
tunisien *Tunisian*

U

un, une *one, a*
unique *only*
utile *useful*
utiliser *to use*

V

il/elle **va** *he/she goes*
les **vacances** (*f.pl*) *holidays*
je **vais** *I go, I am going*
tu **vas** *you go, you are going*
vendredi *Friday*
venez! *come!*
venir *to come*
la **vente** *sale*
vérifier *to check*
vert *green*
je **veux** *I want*
tu **veux** *you want*
viens! *come!*
la **villa** *villa*
le **village** *village*
la **ville** *town*
vite *quickly*
le **vocabulaire** *vocabulary*
voici *here is*
voilà *there is/are*
le **voilà** *there it is*
tu **vois** *you see*
voir *to see*
en **voiture** *by car*
ils/elles **vont** *they go*
vos *your (pl)*
votre *your*
vous *you*
s'il **vous plaît** *please*
vrai *true*
vraiment *really*
vu *seen*

W

le **weekend** *weekend*

Y

y *there*
le **yaourt** *yoghurt*
les **yeux** (*m.pl*) *eyes*

Z

le **zèbre** *zebra*
zéro *nought, zero*
le **zoo** *zoo*
zut! *blast!, bother!*